D1502847

Андрей Константинов
при участии
Николая Сафронова

АДВОКАТ

Осколки криминальной драмы
(август 1992 — июнь 1993)

Санкт-Петербург
«Издательский Дом „Нева“»

Москва
Издательство «ОЛМА-ПРЕСС»

2000

ББК 84. (2Рос-Рус) 6
К65

Издательство «Олма-Пресс» и

«Издательский Дом „Нева"» представляют книги А. Константинова о судьбе Андрея Обнорского-Серегина:

«Адвокат»
«Судья»
«Журналист»
«Вор»
«Сочинитель»
«Выдумщик»
«Арестант»
«Специалист»
«Ультиматум губернатору Петербурга»
«Агентство „Золотая пуля"».

Константинов А.

К65   Адвокат: Роман. — СПб.: «Издательский Дом „Нева"»; М.: «ОЛМА-ПРЕСС». 2000. — 383 с. («Бандитский Петербург»).

ISBN 5-7654-0792-7
ISBN 5-224-01228-7

Удачливый следователь прокуратуры Сергей Челищев в какой-то роковой момент своей жизни превращается в адвоката, выступающего защитником интересов бандитов и преступников. Тайна смерти родителей мучает его денно и нощно, но правда оказывается куда страшнее всех предположений... Книга входит в цикл произведений об Андрее Обнорском-Серегине («Судья», «Журналист», «Вор», «Сочинитель», «Выдумщик», «Арестант», «Специалист», «Ультиматум губернатору Петербурга»), по мотивам которой снят знаменитый телесериал «Бандитский Петербург».

ББК 84. (2Рос-Рус) 6

ISBN 5-7654-0792-7
ISBN 5-224-01228-7

От автора

История создания романа «Адвокат» необычна. Я, собственно, не собирался писать художественное произведение. Но в конце 1993 года пришел ко мне в редакцию известный режиссер Валерий Огородников, который неожиданно буквально потребовал, чтобы я написал для него сценарий фильма-драмы о жизни современных бандитов. Я долго отнекивался, но Валерий оказался настойчивым человеком с хваткой бульдога. Сценарии я писать не умею, поэтому у меня стало выходить из-под пера что-то вроде романа... На самом деле, видимо, у меня в душе давно зрело желание реализовать хотя бы частично ту оперативную информацию, которую я приобрел в ходе различных журналистских расследований и использовать которую в публицистике не было возможности по вполне понятным причинам: ходить по судам не хотелось. А соблазн был велик... Поэтому я стал писать художественную прозу. В работе над «Адвокатом» мне оказал неоценимую помощь уникальный человек, ставший живой легендой как для правоохранительных органов Петербурга, так и для криминальных кругов. По ряду причин этот человек выбрал себе псевдоним Сафронов. Без постоянных и детальных консультаций с ним книга вряд ли была бы написана.

В «Адвокате», наверное, многие увидят узнаваемых персонажей, знакомые комбинации...

Есть в этой книге и кусочки моей биографии, и биографии близких мне людей. И все-таки прошу не забывать, что это — художественное произведение, где все образы — собирательные, события — вымышленные, а изложенная фактура не может быть использована в суде.

Я благодарен всем экспертам, помогавшим мне в работе над «Адвокатом». Я помню всех — и живых, и мертвых, и тех, кто сегодня продолжает занимать свои посты, и тех, кто оказался в зоне. Не буду никого называть отдельно, но я никого и ничего не забыл.

Очень хочется верить, что наша работа найдет своего читателя.

Июнь 1995 года

Пролог

На Смоленском кладбище, что на Васильевском острове Петербурга, который в описываемое время назывался еще Ленинградом, был тихо и сумрачно. На упавшей могильной стеле с полустертой дореволюционной надписью сидели два парня в костюмах и при галстуках. Между ними стояла бутылка «Русской», уже ополовиненная, украденный из автомата с газированной водой граненый стакан, открытая бутылка «пепси-колы» и развернутый плавленый сырок «Дружба».

— Ну что, Серега, — сказал светло-русый, набулькивая водкой стакан до половины, — помянем рабу Божью Катерину...

— Перестань, — черноголовый говорил запинаясь, через силу выдавливая сквозь зубы слова. — Нельзя так о живом человеке... Нельзя, Олежка... В конце концов, она...

— Нашла себе конец, — с горечью перебил его Олег и выпил водку одним махом. Запив ее «пепси», он налил стакан Сергею. Тот взял его и, повертев, подождав немного, сказал без улыбки, с какой-то болью и усталостью в голосе:

— Дай Бог ей всего... Да и нам тоже.

И выпил, не морщась.

Они молча посидели, подождали, пока водка «дойдет», потом закурили «Родопи», которые Сергей вытащил из кармана пиджака.

— А для меня она все равно что умерла, — сказал Олег, докуривая сигарету до фильтра и отшвыривая окурок вглубь, к заброшенным могилам.

Сергей молчал, уткнув лицо в подтянутые к груди колени.

— Дело не в том, что она решила выйти замуж, — продолжал Олег. — Дело в другом, я просто сформулировать это не могу...

— Хватит, Олег, — перебил его Сергей, вставая. — Лучше баб могут быть только бабы... Пошли в общагу. К «психологиням». Заодно и нажремся в приличных условиях...

Они пошли через могилы к краю кладбища, чтобы напрямую выскочить к «восьмерке» — общежитию номер восемь университета, где на пятом этаже жили «психи» (студенты и студентки психфака). Однако на самом краю Смоленки они наткнулись на огромный котлован, которого еще совсем недавно не было. Из дна котлована торчали вверх прутья толстой арматуры, словно колья в «волчьей яме».

— Ни хрена себе, — сказал Сергей и вдруг неожиданно для Олега прыгнул через яму. Прыжок был неудачным: его толчковая нога поскользнулась в грязи, и Сергей, потеряв равновесие, приземлился на самый край котлована. Отчаянно взмахивая руками, Сергей падал спиной на арматуру, но Олег молча бросился вперед и толкнул Сергея в спину, отшвырнув его от края, а сам упал грудью на край ямы и начал сползать вниз. Сергей развернулся и схватил Олега за руку. Сопя и матерясь, они возились в грязи на краю котлована, пока наконец Сергей не вытащил Олега наверх.

— Да... Сходили на «блядки», — сказал Сергей, осматривая вывалянные в грязи костюмы. — Дома скандал будет. — Они сели прямо на землю и закурили.

— Знаешь, Серега, — сказал Олег, держа сигарету в подрагивающих пальцах, — я ухожу с факультета...

Часть I
СЛЕДОВАТЕЛЬ

...Челищев мучительно выплывал из сна. Со временем он научился чувствовать приближение опасности или беды. Эти ощущения, как правило, приходили к нему ночью, и, проснувшись, он, словно зверь, чующий надвигающийся лесной пожар, становился напряженным и нервным. Иногда предчувствия не сбывались, но Сергей знал, что беда была где-то рядом, просто по капризу судьбы она прошла стороной, выбрав себе другую жертву.

— Ты что, Челищев?! — над Сергеем склонилось женское лицо. Челищев несколько секунд смотрел, не узнавая, а потом облегченно вздохнул. Лицо принадлежало секретарше прокурора города Юлечке Ворониной. Голые ноги, грудь и все остальное — тоже.

«Ой, мама, — подумал Челищев, закрывая глаза, — вот это я выдал!» Минувшим вечером в прокуратуре состоялся небольшой сабантуйчик по поводу присвоения Сергею очередного специального звания. Пили прямо в маленьком кабинете Челищева, пили много и тяжело, как это принято у «следаков». В какой-то момент появилась Воронина в короткой юбке. Сергей старался не смотреть на Юлины коленки, потому что в прокуратуре поговаривали, что, кроме обязанностей секретарши, Юля выполняет при прокуроре города Прохоренко еще кое-какие обязанности — но уже не в служебное время...

Но коленки у нее были очень уж круглые, к тому же Воронина умудрялась вертеться в тесном кабинетике так, что постоянно задевала Сергея то грудью, то бедром, то еще чем-то, и в конце концов довела Челищева до такого состояния, что еще немного — и он поволок бы ее трахать в темный угол какого-нибудь коридора...

Финал «банкета» Сергей помнил смутно, видимо, выпитая водка вызвала у него какой-то провал в памяти. Очнулся он уже в такси, на заднем сиденье, где настойчиво шарил рукой у Юли под юбкой, а она, делая вид, что ничего не происходит, прерывающимся голосом объясняла дорогу невозмутимому пожилому «мастеру»...

Сергей и сам не очень понимал, что с ним происходило, наверное, виной всему было четырехмесячное воздержание — итог мучительного развода с Натальей, после которого на женщиной вообще смотреть не мог, потому что сразу же начинал вспоминать скандалы, слезы, суд...

И вот — прорвало! Он начал расстегивать юбку на Ворониной еще в лифте и практически раздел ее у двери квартиры, которую она лихорадочно пыталась открыть, постанывая и выгибаясь всем телом...

Ввалившись в квартиру, они даже не успели включить свет. Сергей овладел Ворониной прямо в коридоре, как-то по звериному рыча, чего он раньше, кстати, никогда за собой не замечал.

— Ой, миленький, Сережа, что же ты делаешь со мной, — стонала Юля, гладя его по спине...

Потом она убежала в душ, а Челищев принялся осматриваться в квартире. Интересно, как это могла молодая девчонка получить такую приличную хату? Ответ на этот вопрос пришел сам собой, когда Сергей обнаружил на письменном столе дорогой серебряный портсигар с выгравированной надписью: *«Прокурору Ленинграда Николаю Степановичу Прохоренко в день пятидесятилетия от коллег с любовью и уважением».* Челищев хмыкнул и положил портсигар на место, вытянув из него сигарету. В груди у него возник легкий холодок, но тут Юля, приоткрыв дверь ванной, крикнула:

— Сережа, иди сюда, помоги мне...

Челищев, стягивая с себя китель, направился в ванную, напевая песню из «Неуловимых мстителей»:

«Вы нам только шепните, мы на помощь придем...»

Потом было шампанское и краткий практический обзор «Камасутры», который Воронина мастерски устроила для Челищева. Впрочем, Сергей не был уверен, что Юля даже слышала о «Камасутре», но возможное отсутствие теоретической подготовки никак не сказывалось на Юлиной практике...

А потом они уснули, и сон, сначала легкий и приятный, вдруг превратился в полузабытый кошмар котлована с прутьями арматуры, готовыми пробить спину...

— Ты что, Челищев?! — повторила Воронина, с испугом глядя на Сергея. — Ты так жутко стонал. Приснилось что-то? Иди ко мне, я тебя пожалею, успокою...

Сергей не противился Юлиным рукам, но вчерашнего возбуждения уже не было, и вскоре они задремали, обнявшись. Сергей хотел, засыпая, сказать Ворониной что-то нежное, но язык не повернулся, потому что именно в этот момент вспомнился вдруг серебряный портсигар с выгравированной надписью...

Телефонный звонок отшвырнул их друг от друга, как нашкодивших школьников. Юля торопливо перелезла через Сергея и побежала к вишневого цвета кнопочному аппарату в прихожей (Челищев мог поклясться, что такие аппараты в магазинах города никогда не продавались. По крайней мере — в обычных магазинах).

— Да, слушаю... Да, я... А сколько времени?.. Полдесятого?! — доносился из прихожей громкий Юлин голос. — У меня будильник остановился, наверное, батарейки сели... А я откуда знаю, где он?! Не знаю, Ярослав Сергеевич, ваши намеки как-то не доходят... Он подвез меня на такси и уехал... Шеф требует?! Срочно?! Но где же я его?.. — на другом конце, видимо, повесили трубку. Юля растерянно выглянула из прихожей:

12

— Ничего от дорогих коллег не скроешь. Тебя ищут, Сережа. Шеф вызывает, срочно. Я сказала, что ты меня только на такси подвез. Это Никодимов звонил.

Она виновато взглянула на Сергея и зачем-то пояснила:

— Первый зам Прохоренко.

— Я знаю, чей Никодимов зам, — буркнул Сергей, путаясь в брюках. — Настучали уже...

Ярослав Сергеевич Никодимов, первый заместитель прокуратуры города, был большим борцом за нравственность и дисциплину сотрудников. С этой целью он еще в застойные годы создал в прокуратуре целую сеть информаторов о настроениях в умах и поступках и ломал карьеры провинившихся спокойно и методично. Правда, в последнее время, когда из прокуратуры люди стали бежать на «частные хлеба», Никодимов несколько поутих, потому что некомплект сотрудников и так уже превысил все допустимые нормы. Однако Ярослав Сергеевич убежденно полагал, что все еще «устаканится» и вернется на «круги своя», потому что без прокуратуры не обойдутся «ни красные, ни белые, ни зеленые, ни полосатые». А потому Никодимов собирал «компру» на подчиненных впрок, до поры до времени. Впрочем, поговаривали, что «компру» он собирал не только на подчиненных.

— Ты-то как? — стоя в дверях, Челищев обернулся к Юле, но она махнула рукой — мол, как-нибудь. Сергей застучал каблуками вниз по лестнице.

— Кобель! — полузло, полунежно выдохнула Воронина, закрывая дверь квартиры и приваливаясь к ней спиной. Потом она прошла в комнату и достала из шкафа маленький портрет Прохоренко в парадной прокурорской форме. Выйдя на кухню, она взяла тряпку и, смачно плюнув Прохоренко в рожу, стала тщательно протирать стекло.

В прокуратуре Челищев первым делом заглянул в себе в кабинет — он сиял чистотой, если слово «сиял» вообще можно было применить к маленькой каморке типа поставленного на боковую грань школьного пенала, незначительно увеличенного в размерах.

— Молодец, баба Дуся, — пробормотал Сергей.

Баба Дуся была старенькой уборщицей и работала в прокуратуре с незапамятных времен. Про нее ходили странные легенды, что когда-то она была вовсе не уборщицей, а занимала совсем другую клетку в шахматном раскладе этого угрюмого учреждения. Баба Дуся много чего знала, но делилась своими знаниями крайне редко, под настроение, которое у нее обычно было угрюмым. Но иногда, выпив рюмку со «следаками», она вдруг рассказывала кое-что из давно забытых времен, причем речь ее вдруг делалась грамотной и ироничной. У нее были на этаже свои любимцы, у которых она убирала тщательно и до начала рабочего дня. К тем же, кого баба Дуся не жаловала, она имела привычку вваливаться с ведром и тряпкой прямо во время допроса, сбивая всю выстроенную нелюбимым следователем психологическую атмосферу «раскалывания» допрашиваемого. К Сергею, впрочем, она всегда относилась с теплой суровостью старой одинокой женщины, и еще ни разу Сергей не находил в своем кабинете по утрам следов вечерних пьянок, которые в последнее время случались все чаще.

— Молодец, баба Дуся, — повторил про себя Челищев, выплюнул комок мятной жвачки в мусорную корзину и, пригладив волосы, направился к прокурору.

Николая Степановича Прохоренко в прокуратуре не любили и за глаза называли обидной кличкой Козявочник. Кличка эта очень не соответствовала лощеной фигуре прокурора, а возникла с легкой руки все той же бабы Дуси, которая однажды раскрыла Челищеву и его приятелю Андрею Румянцеву, пригласивших ее на рюмочку, страшную прокурорскую тайну. Оказывается, сидя в одиночестве в своем прокурорском кабинете, Николай Степанович имел привычку ковыряться в носу, а потом вытирал козявки, добытые из носа, о нижнюю поверхность своего рабочего стола. «У него там скоро сталактиты настоящие нарастут», — угрюмо рассказывала баба Дуся Челищеву и Румянцеву, которые хохотали так самозабвенно, что даже не обратили внимания на тот любопытный и странный факт, что уборщица баба Дуся, оказывается, знает слово «сталактиты»...

Прохоренко не любили скорее всего потому, что был он не «свой», а присланный в Петербург из Воронежа — очевидно, «на усиление». Естественно, затормозившаяся цепная реакция карьерного продвижения не оставила равнодушными многих сотрудников.

Впрочем, с замами Прохоренко нашел общий язык как-то очень быстро и сидел в своем кресле прочно, обстоятельно и, судя по всему, собирался просидеть еще долго. Сергею казалось, что лично его Прохоренко недолюбливает, но это было не более чем ощущение на энергетическом уровне, потому что никаких конкретных проявлений предвзятости прокурора не было.

Более того, год назад Николай Степанович снял без скандалов и объяснительных два мокрых глухаря*, которые безнадежными булыжниками висели у Челищева на шее.

Однако сегодня рассчитывать на приятный разговор с Прохоренко явно не приходилось. Ну в самом деле, какой начальник погладит по голове за то, что после устроенной на рабочем месте пьянки подчиненный еще и трахнул его секретаршу? Идя по коридору, Сергей улыбнулся, вспомнив, как один его знакомый журналист рассказывал, что однажды переспал с секретаршей главного редактора крупнейшей городской газеты, и главный, вызвав его на «ковер», долго драл

---

* Мокрый глухарь — нераскрытое дело об убийстве (жарг.).

за разные мелкие и крупные провинности, а в конце разговора повернулся к журналисту спиной и, глядя в окно на Фонтанку, угрюмо буркнул самое важное: «Да, вот еще... Вику не трогай. Это — святое...»

Все еще со следами улыбки на губах Челищев пересек пустовавшую приемную, хранившую легкий аромат Юлиных духов, и, одернув несколько раз китель, глубоко вдохнув и выдохнув, постучал в обитую коричневой кожей дверь.

— Разрешите?.. — Сергей полузашел в кабинет, вопросительно глядя на Прохоренко.

— Да, Сергей Александрович, заходите, — Прохоренко неторопливо вышел из-за стола и пошел навстречу Сергею, протягивая руку для пожатия.

«Ни хрена себе! — подумал Сергей, ошеломленно пожимая пухлую, но сильную ладонь прокурора с какой-то полустертой татуировкой на запястье. — Ишь ты! По имени да по отчеству, Сергей, мол, Александрович! Еще и ручку пожаловали... Не иначе, сейчас какое-нибудь говно вывалит».

— Садитесь, Сергей Александрович, — Прохоренко показал рукой на стулья, стоящие вокруг стола для рабочих совещаний. Сергей сел и молча уставился на прокурора.

— У меня к вам, Сергей Александрович, неприятный разговор, — сказал Прохоренко, расхаживая по кабинету.

Сергей слабо пошевелился на стуле, но прокурор жестом руки остановил его движение.

— Это касается ваших родителей. Ваш отец Александр Владимирович Челищев был директором деревообрабатывающего комбината?

— Да, — у Сергея почему-то пересохло в горле, и он с усилием сглотнул. — Почему — был? Он и есть... Я, правда, вижусь с родителями не очень часто...

Прохоренко остановился у своего стола и взял с него бумажку. Посмотрев на Сергея как-то странно, он сказал:

— Вот, по утренней сводке... Мужайтесь, Сергей Александрович. Сегодня в 8.15 ваши родители были обнаружены в собственной квартире с признаками насильственной смерти... Предположительно — разбой...

Голос прокурора доносился до Сергея через звон, который шел в голову от бешеных ударов сердца.

— И... маму? — Челищева трясло на стуле.

Прохоренко опустил глаза и начал складывать бумагу, тщательно разглаживая сгибы.

— Держитесь, Сергей Александрович... Сегодня среда. Полагаю, три дня отпуска вам просто необходимы... Мы, конечно, окажем всю возможную помощь... Сейчас поезжайте домой... В смысле — к родителям, — прокурор запнулся, как будто сказал какую-то неловкость. — Адрес, я полагаю, вы помните... Вторая Советская... — Прохоренко не договорил, помолчал и добавил: — Внизу можете взять мою машину, скажите Николаю, что я разрешил... Да он, в общем-то, в курсе. Поезжайте, заодно сразу с опознанием поможете... Ну и похищенное установить... В общем, что мне вас учить... Там сейчас Свиридова работает с бригадой... Езжайте. И держитесь! А мы — все, что сможем...

Челищев молча вышел из кабинета, выдавив из себя что-то вроде странно прозвучавшего в этот момент «спасибо».

После ухода Челищева Прохоренко, вздохнув, открыл сейф, достал оттуда бутылку армянского коньяка фирменного ереванского зеленоватого стекла и налил в рюмку, извлеченную из сейфовых же недр. Медленно выпив, он выдохнул сквозь зубы, помассировал рукой виски и убрал бутылку с рюмкой обратно в сейф.

Затем Николай Степанович уселся за свой стол и, засунув мизинец левой руки в правую ноздрю, глубокомысленно уставился в лежавшие перед ним бумаги...

Дорогу до дома Челищев помнил смутно.

Николай, водитель Прохоренко, что-то ему говорил, Сергей кивал, беспрестанно затягиваясь сигаретой...

У подъезда стояли служебные машины, а обычно сидевших на лавочке старушек не было.

Сергей поднялся по знакомой с детства лестнице, и на последнем пролете у него вдруг закололо сердце. У дверей квартиры его родителей, квартиры, которую он всего несколько лет назад перестал считать своим домом, стоял постовой, шагнувший Челищеву навстречу. Сергей машинально сунул ему служебное удостоверение и вошел...

В каждой квартире есть свой особенный запах, который не меняется годами. Этот запах иногда остается единственным сохранившимся напоминанием детства, и каждый раз, приходя к родителям, Челищев с наслаждением вдыхал его, уплывая на мгновение в прошлое...

Но сегодня его встретили чужие запахи, и именно в этот момент Сергей до конца осознал, что ничего уже не поправишь и не вернешь... В прихожей пахло свежей кровью, какими-то лекарствами и специфическим запахом казармы, который распространялся, судя по всему, от шаставшего по квартире немолодого старшего лейтенанта милиции. Он, похоже, был участковым. Старший лейтенант непрерывно вертел головой, цокал языком и, вздыхая, приговаривал:

— Вот люди живут, а...

Вообще народу в квартире было полно. Что-то писала на журнальном столике дежурный следователь, с которой Челищев был смутно знаком, деловито работал кисточкой замухрышистого вида эксперт-криминалист, у которого на лице было явственно написано неудовольствие от затянувшегося дежурства, бестолково бродил по квартире фотограф...

В квартире действительно было на что посмотреть. Мебель ручной работы из карельской березы, картины, хрустальные люстры, моющиеся обои, тяжелые красные с золотом шторы... Квартира всегда была маминым «заповедником». Она буквально вылизывала ее до нежилой музейной чистоты. И сейчас отдельные сохранившиеся оазисы этой чистоты дико и страшно контрастировали с пятнами подсыхающей крови на стенах и полу в прихожей, на смятом постельном белье в спальне...

Работавшая в квартире бригада выбрала себе в качестве пепельницы большую глубокую тарелку из старого кухонного сервиза, сохранившегося только наполовину. Когда-то именно в эту тарелку мать наливала Сергею суп, а сейчас в ней валялись смятые разномастные окурки, которые полностью заглушили витавший когда-то в квартире легкий аромат дорогого трубочного голландского табака...

В принципе, нельзя было сказать, что дежурная бригада вела себя как-то особенно нагло, по-хамски... Люди вели себя обычно, и Сергей много раз вел себя точно так же в других квартирах, осматривая место происшествия. В этом, наверное, и было дело: для работавшей бригады квартира была местом происшествия, а для Сергея — местом беды. И нельзя было винить ребят за то, что они отгораживаются, закрываются от чужого горя —

если каждый раз пускать его в душу, можно очень быстро сойти с ума... Все это Челищев понимал рассудком, но все равно чувствовал раздражение и злость на чужих людей, равнодушно фиксировавших следы оборванных жизней...

«Это же мои папа и мама, как вы можете так казенно...» — хотелось закричать, завыть Челищеву. Но он молчал.

Участковый, разглядывая корешки старинных книг, в очередной раз вздохнул:

— Живут же люди...

Вышедший из кухни хорошо знакомый Челищеву Гоша Субботин, старший опер «убойного отдела» главка, неприязненно посмотрел на старшего лейтенанта и резко сказал:

— Уже не живут. Хватит тебе охать... Ты соседей опросил?

— Нет еще, я вот только что...

— Ну вот и иди опрашивай, а то охаешь тут. Иди, работай!

Участковый с явной неохотой вышел, продолжая крутить головой и вздыхать до самой двери.

Субботин подошел к Челищеву, застывшему у серванта, и положил руку ему на плечо.

— Здорово, Серега... Держись. Я все понимаю, тут ничем не утешишь. Терпи...

Сергей потянул его за рукав в свою комнату. В ней мало что изменилось, все вещи были на своих местах...

Челищев достал из потайного бара бутылку водки, фужеры и банку «фанты». Сев на кровать, налил себе почти до краев, выпил как воду и запил глотком «фанты».

— Будешь? — Челищев качнул бутылку в направлении Гоши.

Тот неопределенно пожал плечами — мол, я на службе, но... Челищев налил ему столько же, сколько себе. Субботин выпил водку тяжело, видно, с утра она не шла...

— Как все случилось?

Субботин жадно глотал «фанту» и в перерывах между глотками начал рассказывать:

— Видимо, позвонили в дверь... Убитый... Ну, отец твой, пошел открывать... Он, похоже, брился, щека одна в мыле осталась. Ну, его первого, похоже, ножом, снизу.

— А... маму?

— В спальне... Горло сзади перерезали...

Субботин вздохнул и добавил:

— Хорошо, что ты их уже не застал, минут за десять до тебя в морг увезли. Незачем на родителей в таком виде смотреть.

Челищев молчал, проклиная водку, которая только жгла желудок и никак не могла разжать сдавивших сердце тисков...

— Серега, — сказал Субботин, вставая, — я все понимаю... Но ты соберись, походи по квартире, посмотри, что пропало... Мы бы сразу в ориентировку включили. Ну, ты сам знаешь-понимаешь. Давай, Серега...— И Субботин вышел из комнаты, деликатно прикрыв дверь...

Сергей тупо смотрел перед собой, пока взгляд его не сфокусировался на цветной фотографии в рамке, висевшей на стене напротив дивана.

На фотографии были запечатлены — он, Олег Званцев и Катя Шмелева, Катенька... Она стояла в центре, а Сергей и Олег по бокам — она обнимала их за плечи, а ребята придерживали ее за талию. И все трое были в стройотрядовских куртках, с довольными, смеющимися лицами. Эту фотографию сделал Александр Владимирович Челищев десять лет назад, когда их стройотряд «Фемида» вернулся в Ленинград из-под Выборга, где они строили какой-то комбинат...

Они втроем тогда завалились к Сергею домой, и Марина Ильинична, Сережина мама, устроила им торжественную встречу — как героям трудового фронта...

Десять лет назад... Челищеву казалось, что это было только вчера...

С Олегом они знали друг друга всю жизнь — с первого класса. И дома их стояли рядом, и Сергей даже зимой бегал к Олежке в гости, не надевая пальто, за что его всегда ругала мать. У Сергея они собирались очень редко, потому что на ребятишек давили чистота и порядок квартиры Челищевых.

В ней было страшно играть, потому что можно было что-то разбить, испачкать или просто сдвинуть с места, а за это Марина Ильинична обязательно отругала бы Сергея. А то и отец мог под настроение подключиться и шлепнуть отпрыска тяжелой, грубой ладонью. Александр Владимирович был тогда начальником цеха деревообрабатывающего комбината и любил приговаривать: «Мы, пролетарии, народ грубый, без нежностев» и всегда при этом иронично улыбался, потому что на самом деле рабочих он не любил, хоть и легко ладил с ними. А потому собирались они всегда у Олежки, в его трехкомнатной квартире, где он жил вдвоем с бабушкой. Когда-то в этой же квартире жили и родители Олега, но они погибли в геологической экспедиции на Енисее, когда Олегу было три года, и он почти их не помнил. Отец Олега был геофизиком, и они нашли тогда на Енисее что-то очень важное для страны, потому что посмертно отца Олега наградили орденом Ленина, а мать — орденом Трудового Красного Знамени, и ордена эти Олежка часто доставал из старого письменного стола, они с Сергеем подолгу их рассматривали и даже осторожно примеряли...

В квартире у Олега всегда был уютный беспорядок, а его бабушка Серафима Ивановна никогда не ругала ребят за то, что они слишком громко кричали или прыгали со шкафа на диван, играя в индейцев... А еще Серафима Ивановна умела жарить чудесную картошку, которую мальчишки называли «жареная на водичке», потому что на сковородке всегда оставалось много растопившегося сала...

Сергей и Олег совсем не походили друг на друга характерами и часто ссорились, правда, всегда мирились. Рекорд продолжительности их размолвки был в шестом классе, когда они, разругавшись из-за кинофильма «Зорро», не разговаривали целую четверть. Результатом этой размолвки стало то, что они начали заниматься разными видами спорта —

Сергей тогда попал в ДЮСШ* в секцию дзюдо, а Олег почему-то выбрал волейбол. И как потом ни манил один другого перейти к себе, ни Олег, ни Сергей не решились оставить свои маленькие сборные. Видеться они после уроков, естественно, могли теперь реже, потому что тренировки отнимали много времени, но, как ни странно, дружить стали крепче... А Катя Шмелева появилась в их жизни только в девятом классе. Ее родители развелись и разменяли квартиру, вот так и оказалась Катерина в их районе...

Она была необычной девчонкой — во-первых, потому, что была красивая. А может быть, даже и не красивая, а такая, ну... Ну, для которой хотелось все делать и перед которой очень хотелось выглядеть клево. Так, чтобы она одобрила. И чтобы улыбнулась. Она занималась хореографией и танцевала в ансамбле «Юный ленинградец». Плюс ко всему она была совсем не дура, и над ее шуточками, бывало, хохотал весь класс... Она была такой девчонкой, к которой страшно было подойти — страшно не из-за нее, а из-за того, что самому дураком выглядеть в ее глазах не хотелось...

---

* ДЮСШ — детско-юношеская спортивная школа.

А сблизилась окончательно их троица в десятом классе, когда Сергей и Олег страшно отлупили двух пэтэушников, приставших однажды вечером к Катерине, когда она возвращалась домой...

И Катя стала для ребят другом. Да, именно другом, ничего сексуального. По крайней мере, так уверяли тогда друг друга Олег и Сергей. Она была одновременно для них «прекрасной дамой» и «своим парнем», и им было хорошо вместе, и они чувствовали себя сильными...

А когда пришла пора думать о дальнейшей учебе, Сергей уговорил всю компанию идти на юридический факультет, о котором давно мечтал... Расставаться троице не хотелось, а Олегу и Кате было по большому счету все равно, куда поступать, потому что хотелось стать всеми сразу одновременно — и артистами, и сыщиками, и космонавтами, кстати, тоже...

Поступили они все довольно легко, потому что Сергей и Олег, ставшие уже к тому времени кандидатами в мастера спорта, шли по так называемому «спортнабору», а у Катиной мамы, вроде, был какой-то друг — большая шишка в КГБ...

В общем, они поступили. И первый год все было почти так же, как в школе. Изменения в их отношениях начались после первого стройотряда, на втором курсе. У ребят появился первый сексуальный опыт, который они приобрели у более старших девиц с филологического факультета, который однозначно считался общеуниверситетским «блядюшником». Соответственно, другими глазами они стали смотреть и на Катерину. И друг на друга, потому что стали видеть друг в друге соперников. А Катя вроде бы стала как-то стесняться Олега и Сергея, начала капризничать и раздражаться и как-то странно шутить, говоря что-то вроде: «Хороши дружки-приятели, всех ухажеров у бедной девушки пораспугали, а сами как собаки на сене». Казалось, она чего-то ждет от них, или от одного из них, но Олег и Сергей только костенели и мрачнели в ее присутствии, да и без нее тоже что-то перестали клеиться у них разговоры... И видеться они стали после лекций совсем редко, бросая друг другу с искусственными улыбками: «Пока... Я на тренировку...» — «А я — в музей»... «А у меня в библиотеке дела есть».

Но что-то зрело, и взрыв был неизбежен. Так и случилось. После того как они благополучно сдали последний экзамен за второй курс, Катя неожиданно объявила Олегу и Сергею, что выходит замуж. Да за кого! За генерального директора одного из самых крупных питерских заводов, за члена горкома партии, за сорокадвухлетнего старика (ведь сорок два — это старость для девятнадцатилетних мальчишек...)!

Катерина вываливала им эти подробности торопливо и с какой-то агрессивностью, когда они сидели на своем любимом месте, в сквере у Университетской набережной. Ребята молчали. Самым печальным в этой новости было то, что Катин муж должен был «уходить» в Москву — на повышение в министерство. Уезжала с ним и Катя, переводясь на юрфак МГУ...

— На свадьбу-то хоть пригласишь? — с какой-то брезгливой улыбкой спросил ее Олег.

— Да, мы бы молодого «зацепили», — поддержал его Сергей. Вроде и ничего особо обидного не сказали, а тоном, выражением лиц словно по щекам Катю отхлестали. Она, естественно, разревелась и, обозвав друзей сопляками, убежала... И словно тепло душевное с собой унесла. Пусто стало ребятам и плохо. Они пошли пить водку на Смоленское кладбище, и Сергей там чуть не свалился в котлован на прутья арматуры...

А осенью Олег ушел с факультета, как его Сергей ни отговаривал. На все уговоры Олег отвечал: «Не хочу. И не могу. Мне развеяться надо». Он, естественно, попал в армию, потому что сам пошел в военкомат...

После «учебки» Олег вместе со своим ДШБ* попал в Афганистан. Письма Сергей получал редко, как, впрочем, и Серафима Ивановна, ставшая к этому времени совсем старенькой...

А в начале четвертого курса получила Серафима Ивановна «похоронку» на Олега, где помимо прочего, казенного, сообщалось, что «прах Званцева Олега Андреевича был предан земле на месте гибели в окрестностях города Джелалабада Демократической Республики Афганистан...»

Серафима Ивановна совсем сдала после этого известия.

Сергей заходил к ней несколько раз, но потом она, плача, попросила его не делать этого, не ходить, потому что, глядя на Сергея, вспоминала Серафима Ивановна Олега...

Как-то через год, уже после ее смерти, увидел Сергей, проходя мимо, свет в квартире Званцевых, прибежал домой, стал

---

* ДШБ — десантно-штурмовой батальон.

звонить по телефону, но, слушая длинные гудки в трубке, так и не дождался ответа...

...Сергей очнулся от воспоминаний, словно вынырнул из глубины темного озера. У него начала болеть голова, а сжатые кулаки подрагивали и стали влажными. Это давала о себе знать вегетососудистая дистония, неприятная спутница почти каждого «завязавшего» спортсмена...

Челищев вышел из своей комнаты и стал бродить по квартире, натыкаясь на членов бригады, сочувственно смотревших на него, как на тяжело заболевшего человека, помочь которому они не факт, что смогут...

Создавалось впечатление, что из квартиры ничего не пропало. Единственная вещь, которую Сергей не смог найти, — это двухкассетный «Филипс-турбо». Магнитофон обычно стоял на тумбочке у телевизора, и Александр Владимирович любил включать его по утрам — чтобы, как он говорил, поднять тонус перед работой... Может быть, «Филипс» сломался, и Челищев-старший просто отнес его в мастерскую? Но в ящике письменного стола отца, где хранились инструкции, схемы и технические описания всей аппаратуры, которая была в квартире, Сергей нашел техпаспорт магнитофона, стало быть, в ремонт его никто не сдавал. Челищев отдал паспорт Гоше Субботину. Тот кивнул, начал что-то записывать и механически спросил:

— Особые приметы у магнитофона были?

Сергей подумал и, пожав плечами, ответил:

— Корпус темно-красный, и внутри аккумуляторы всегда были, чтобы можно было в машину брать, за город... А так — обычный магнитофон...

Гоша кивнул и пошел к телефону.

Челищев продолжал осматривать квартиру, пытаясь отключиться от того, что это — его дом.

В прихожей внимание Сергея привлек охотничий карабин, гордость Челищева-старшего. Хоть и полагалось хранить такое оружие в специальном металлическом ящике, Александр Владимирович предпочитал вешать карабин на стену за кожаный ремень на два специальных крючка, которые он самолично посадил на дюбеля в стену прихожей. Сейчас карабин висел только на одном крюке, а второй был вырван из стенки и валялся на полу вместе с крошками цементной пыли.

Челищев позвал Субботина и кивнул головой на карабин.

— Обижаешь, старик, — невесело усмехнулся Гоша. — Уже отфиксировали. Похоже, отец твой пытался до него добраться, но не успел... У него вообще враги были? Угрозы какие-нибудь?..

Сергей неуверенно покачал головой.

— Да нет, какие там особые враги... Заклятых, я думаю, не было... Ну а то, что ссорился с кем-то, — наверняка бывало, он человек резкий, вспыльчивый. Был...

Сергей замолчал, чувствуя, как опять сжимает сердце и перебивает дыхание: «Господи, больно-то как... Папа, папочка, мама...»

Челищев достал сигарету и сел на диван в гостиной, стряхивая пепел в общую тарелку-пепельницу. Последние годы отношения между Челищевыми были довольно напряженными, они чаще ругались, чем говорили нормально, и сейчас Сергея жгла мысль, что помириться теперь уже не удастся никогда... А причины для ссор в семье Челищевых находились легко: политика, бизнес, телепередачи — все могло стать сначала предметом спора, а потом поводом для скандала... Ну а когда Сергей решил разводиться с Натальей — начался вообще кошмар. Челищевы-старшие любили Наталью, и по характеру она была ближе к ним, чем Сергей. Она всегда соглашалась с ними, была такая хозяйственная и домовитая и легко позволяла Марине Ильиничне помыкать собой... Она была удобная, хорошая сноха, «не хуже, чем у людей», и родители никак не могли взять в толк серьезность аргументов Сергея, что он просто не любит Наталью, что ему с ней скучно и что поэтому он не видит смысла жить дальше вместе. Марина Ильинична, выслушивая все это, плакала, смотрела испуганно мокрыми от слез глазами на Сергея и причитала: «Как ты можешь так, ты ведь наш сын!», а Александр Владимирович начинал читать занудную лекцию на тему: «Семья — это святое», которую неизменно заканчивал обличениями Сергея в разврате и цинизме... После этих скандалов Сергей обычно уходил и напивался до блевоты с приятелями, святотатственно благодаря Бога за то, что не дал им с Натальей детей. Челищев понимал, что нельзя за такое благодарить Спасителя, но иметь ребенка от нелюбимой женщины — это представлялось ему просто кошмаром...

После развода с Натальей отпала необходимость снимать отдельную квартиру. Но окончательно вернуться к родителям Сергей так и не смог. Скитаясь по квартирам приятелей и любовниц, он ночевал дома дай Бог одну неделю из четырех...

Докуривая сигарету на диване в гостиной, Сергей вдруг вспомнил месячной давности разговор, начавшийся с возмущений отца работой милиции и вообще всех правоохранительных органов... Возмущение это было вызвано тем, что к Александру Владимировичу на работу пожаловали какие-то бандиты и пытались говорить с ним — с генеральным директором! — о ходе приватизации комбината... «Совсем обнаглели, шпана стриженая, прямо ко мне в кабинет вваливаются, пытаются со мной, с академиком, какие-то „вопросы решать", понимаешь!»

С точки зрения Челищева, академиком Александр Владимирович был, мягко говоря, сомнительным. Нет, он на самом деле был действительным членом Петербургской инженерной академии, но ее члены избирались по какому-то странному номенклатурному признаку, причем наличие ученых степеней было всего лишь желательным, но не обязательным условием. В этой академии числилось чуть ли не все руководство мэрии и разные другие большие городские начальники. Сергей неоднократно подсмеивался над этой академией, называл ее масонской ложей, чем вызывал жуткую обиду и отца и, конечно, матери... Но в тот раз Сергей не стал подначивать родителя относительно его ученых степеней, а живо заинтересовался визитом бандитов к Александру Владимировичу. Однако на его расспросы и предложения «разобраться» отец среагировал довольно странно: «Ты в себе „разберись" сначала, о семье подумай, а о нас — не надо, мы сами как-нибудь разберемся, без сопливых... Подумай лучше о том, что ты мать в могилу вгоняешь своими выходками...», — и пошел очередной семейный скандальчик, закончившийся, как обычно, хлопанием дверей и тяжелой пьянкой в мастерской у Игоря — скульптора, Сережиного одногодка, с которым он познакомился семь лет назад, на пятом курсе юрфака...

Вспомнив тот разговор про бандитов и приватизацию, Челищев сбивчиво пересказал его Субботину, который выслушал его внимательно, но вяло:

— Да, это, конечно, интересно... Хотя сейчас чуть ли не на всех директоров бандиты «наезжают», но за этим, как правило, ничего не стоит — «на хапок» рассчитывают, вдруг кто-то испугается и согласится... Но проверить, конечно, не мешало бы. Ты позвони в ОРБ*. У тебя же там наверняка есть кто-нибудь. Может, у них что-нибудь да где-нибудь «подсветилось»...

В ОРБ у Сергея действительно были свои неплохие контакты, но звонить туда и начинать что-то выяснять сейчас просто не было сил... Нужно было обзванивать родственников, заниматься похоронами и поминками...

Следующие пять дней Челищев помнил смутно, потому что все время пил и почти ничего не ел. Водка не давала привычного забытья и опьянения, она лишь на короткое время разжимала тиски в груди и затормаживала движения... Все «организационные моменты» взял на себя муж маминой сестры — дядя Слава, работавший сварщиком на Кировском заводе. Родственников вообще было много, но Сергей знал их не очень хорошо, потому что семья Челищевых по непонятным Сергею причинам предпочитала жить замкнуто, не идя на сближение с

---

* ОРБ — Оперативно-розыскное бюро — подразделение, занимавшееся борьбой с организованной преступностью. Позднее переименовано в РУОП — Региональное управление по борьбе с организованной преступностью.

родными... Может быть, причина крылась в том, что Челищевы «поднялись» выше всех, и родственники автоматически перешли в разряд «бедных»...

На кладбище, где уже несколько лет кряду, как знал Челищев, «мест не было», народу пришло много. Было много венков и еще больше — желающих их возложить. Были люди из мэрии, с комбината, даже из Москвы кое-кто приехал, из министерства... Челищев механически пожимал руки, слушал стандартные фразы соболезнования и еле сдерживался, чтобы не завыть в голос или не начать на глазах у всех глотать из горла джин «Бифитер», плоская бутылка которого лежала у него во внутреннем кармане пиджака. На Сергее был черный костюм, который когда-то был сшит для свадьбы с Натальей... Костюм жал, и Челищев чувствовал, что задыхается в нем...

Была на похоронах и Наталья, и Челищеву в какой-то момент вдруг захотелось броситься к ней, прижаться и заплакать, потому что представилась она ему единственной ниточкой, связывающей его с дорогими ему покойниками... Но Сергей пересилил себя, инстинктивно понимая, что делать этого нельзя, что горе когда-нибудь стихнет, а вот родными они с Натальей вряд ли станут... И Наталья, видимо, почувствовала, как сначала качнулся к ней Сергей, а потом оттолкнул ее глазами, потому что, бросив горсть земли в могилу, быстро ушла и на поминки не осталась...

Долго говорили речи, перечисляли заслуги, ораторы требовали найти и наказать преступников и выражали уверенность в том, что это обязательно так и будет... И все это снимала на видеокамеру приехавшая на похороны бригада из информационной телепрограммы «Факт», к которой Сергей вдруг ощутил неожиданную симпатию и сочувствие, потому что, кроме могильщиков, это были единственные люди, которые занимались здесь делом, а не отбывали положенное неприятное мероприятие...

Когда разошлись с поминок гости и родственники, Сергей, взяв оставшуюся водку, пошел к Игорю в мастерскую и там напился, видимо, до чертиков, потому что вместо Игоря начал вдруг видеть Олега и разговаривать с ним, а одна из гипсовых скульптур у Игоря в мастерской превратилась в Катю и стала куда-то Челищева звать, а он испугался этого и начал страшно кричать...

Очнулся Сергей, когда приехала вызванная Игорем врачиха-«похметолог» —

из кооператива, останавливающего запои и снимающего последствия алкогольной интоксикации. Врачиха гладила Сергея по голове, переспрашивала что-то говорившего Игоря, вкатила Челищеву три укола и поставила капельницу в вену на руке... И тогда тиски в груди вдруг разжались, Сергей облегченно заплакал без слез и без всхлипов и провалился в спасительный глубокий черный сон...

Он спал почти двадцать часов, а когда проснулся, Игорь напоил его чаем, заставил съесть какие-то таблетки и предупредил, что водку пить Челищеву сейчас никак нельзя — после этих таблеток можно просто сдохнуть, а этой подлости Игорь Сергею никогда не простит...

Но Сергей уже «отошел», мысль о спиртном вызывала у него рвотные позывы и больше ничего, поэтому он только слабо улыбнулся Игорю и успокаивающе покивал головой.

А потом они пошли домой к Челищеву прибираться после поминок, а заодно обсудили проект надгробия, за которое Сергей уговорил Игоря взяться.

Уходя, Игорь внимательно посмотрел на Челищева и сказал:

— Очень тебя прошу, найди выход...

— Что-что? — не понял Сергей.

Игорь помялся и докончил:

— У тебя очень мощная энергия сидит внутри, Серега. Я же скульптор, я это чувствую. Она тебя прямо распирает всего, это на лице хорошо отражается, такие лица всегда лепить хочется. Если эта энергия направлена наружу куда-то, то человек такой может горы свернуть. Если она, как у тебя, внутри бьется, то может человека разрушить, сжечь... Тебе надо найти ей выход, дверь открыть... Только главное — найти верную дверь...

После того как Игорь ушел, Челищев долго сидел на кухне и курил, а потом взглянул в висевшее у мойки зеркало и чуть не вскрикнул: показалось, что смотрит на него из зеркала молодой Александр Владимирович, и точно так же падала ему на глаза рано поседевшая челка.

На седьмой день Челищеву, механически подбивавшему свою «бухгалтерию» в прокуратуре, позвонил Гоша Субботин и деловито сообщил:

— Серега, сегодня взяли одного парня с вашим «Филипсом». Давай, двигай в Смольнинское, его в тамошнем ИВС* маринуют.

---

* ИВС — изолятор временного содержания.

Сергей вскочил, сгреб все бумаги в сейф и, напяливая на ходу куртку, ткнулся в двери начальника отдела. Дверь была заперта, чему Челищев совершенно не удивился. Быстро прикинув в уме возможные варианты, он рванул в приемную Прохоренко. Болтавшая с кем-то по телефону Воронина моментально скруглила разговор, положила трубку и молча уставилась на Сергея испуганными глазами трепетной лани... После ухода Челищева из ее квартиры в день, когда погибли его родители, между ним и Юлей не было произнесено ни слова. Челищеву не давала покоя мысль, что он трахался с этой роскошной телкой как раз тогда, когда убийца входил в его дом... Если бы он тогда поехал домой, если бы! Но, как говорил Андрей Румянцев, приятель и коллега Челищева: «Если б у бабки были хрен да борода, то был бы уже дедка...» Нет, Челищев был далек от того, чтобы в чем-то обвинить Юлю, считая ее в определенном смысле человеком Божьим, в смысле — убогим и безответным, но разговаривать с ней и видеть ее ему было неприятно.

— Отцы в «бункере»? — сухо спросил Воронину Челищев, и она молча закивала в ответ, продолжая испуганно таращиться на него.

— Понятно, очередное рабочее совещание, ни сна ни отдыха, постоянно-непрерывно, углублять, расширять, мы все на страже... Вылезать будут, скажи моему, что я в Смольнинское поехал, объяснительную брать.

— Какую объяснительную? — пролепетала Юля.

— Просто объяснительную, он переспрашивать тебя не будет, — убежденно кинул через плечо, уже выходя из приемной, Сергей...

...Субботин ждал его у Смольнинского РУВД, нагло рассматривая проходящих мимо девушек. То, что он еще ни одну не остановил и не начал «клеить», свидетельствовало о его недолгом ожидании. Гоша, по его собственному выражению, был «похотлив, как карась», о чем всегда честно предупреждал свою очередную пассию, наивно думающую, что это такие «шутки ментовские». Разочарование всегда было горьким, Гоша говорил о себе чистую правду, а шутки у него были в основном «черные», непонятные гражданским лицам, не имеющим каждый день малоприятных дел с покойниками различной категории свежести...

— Ну, что? — не здороваясь, спросил Субботина Сергей.

Гоша, сморщившись, закурил и, похмыкивая, начал рассказывать...

— Пока все не очень понятно... Доблестный патруль ГАИ задержал сегодня утром в автомобиле ВАЗ-21083 цвета «мокрый асфальт» некоего гражданина Касатонова Михаила Ивановича, семидесятого года рождения, из Саранска. У гражданина Касатонова в машине была какая-то блядь и ваш магнитофон. Про магнитофон потом уже выяснили, а сначала — такое горе! — было выявлено полное отсутствие у Михаила Ивановича документов на машину и водительских прав и такое же полное, но присутствие вторичных признаков алкогольного опьянения, именуемых в просторечье похмельем... Откупиться гражданин Касатонов не мог, видимо, потому что всех денег при нем было — на пачку дешевых сигарет, вот его и начали обоснованно задерживать... Ну и потом уже красный магнитофон на заднем сиденье увидели (сержантик в наряде, видно, молодой попался, бдительный...). Ну и все. Как ни странно, Михаил Иванович был благополучно доставлен в камеру, где и сидит, по всей вероятности, сейчас...

— Машина в угоне?

Субботин пожал плечами:

— Самое смешное, что нет. На пенсионере каком-то висит, его сейчас отрабатывают.

— А что Касатонов говорит?

— Да ничего не говорит, потому что его, похоже, никто ни о чем еще серьезно не спрашивал... Как его в «аквариум» определили, зам по розыску сразу мне и отзвонил, весь такой напуганный, мол, нам вашего не надо, мы, мол, задержали — посадили, а работайте уже сами, мы люди крестьянские, могем что-то не так сделать, по слабоумию своему и бестолковости. Сергей понимающе кивнул головой. Год назад все питерские опера хохотали над одним ухарем из Смольнинского розыска, «расколовшим» под тихую ночную грусть задержанного подозрительного гражданина без документов, позже оказавшегося профессором биологии, но очень похожего по приметам на убийцу-маньяка. Профессор, по счастью, оказался своим парнем, ему оплатили из «оперативных» вставление пластмассового зуба взамен неожиданно выпавшего ночью в Смольнинском РУВД, и дела он возбуждать не стал, но скандал все равно был большой. Говорят, в Смольнинское нагрянул сам Иваньшин, начальник питерского УУР*, и орал на весь личный состав матерно, рекомендуя «сыщикам херовым» не заниматься херней, раз уж все равно головы нет, а руки из жопы растут. С тех пор, надо и не надо, Смольнинский розыск по любым мелочам названивал в главк. «Это ненадолго, — смеялись в ГУВД. — До прямого устного указания продолжать заниматься херней и не мешать всем остальным работать».

— Ну что, Серега, пошли знакомиться с гражданином Касатоновым.

Гоша затоптал окурок, и они с Челищевым вошли в унылое помещение дежурной части...

Касатонова уже два часа «разминал» смольнинский опер Валера Чернов. Основной целью «разминок» было вымотать допрашиваемого, утомить его повторяющимися малозначительными вопросами типа: «Где родился, с кем живешь, с кем дружишь?» Когда Челищев и Субботин вошли в маленький кабинетик, заполненный сизыми клубами сигаретного дыма, выражения лиц у Чернова и Касатонова были похожи — своей легкой одурелостью и усталостью друг от друга.

---

* УУР — управление уголовного розыска.

Гражданин Касатонов оказался типичным раскаченным до предела представителем «нового поколения», со всеми положенными атрибутами быка* низшего бандитского звена: стрижка под американского сержанта, тайваньского пошива «Пума», самопальная кожаная куртка...

Челищеву сразу не понравилось проступающее сквозь похмельно-допросную усталость выражение детской безмятежности на лице Касатонова — не характерна была такая безмятежность для задержанного милицией субъекта, на котором, предположительно, двойная мокруха висит.

Чернов, предложив Субботину стул за свободным столом, а Челищеву — напротив «быка», сказал, обращаясь к Гоше:

— Выясняется, что приятель в школе учился плохо. Врать и то не умеет, память слабая, чем на неделе занимался — вспомнить не может. Или не хочется вспоминать, а? — повернулся к Касатонову опер. Касатонов нервно зевнул и ответил без выражения:

— Я уже сказал, в натуре... На дискотеке в «Пулковской» гулял.

---

* Бык — член банды (*жарг.*).

— Юморной парень,— снова повернулся к Субботину Чернов.— Сейчас я тоже всех развеселю, когда скажу, что в «Пулковской» уже десять дней никаких дискотек нет — мы проверяли, у них там профилактический ремонт какой-то...

Субботин подхватил эстафетную палочку и с ходу включился:

— А мы любим веселых людей,— и без паузы спросил: — Тачка чья?

Касатонов встрепенулся и степенно ответил:

— Моя «банка», отвечаю...

Субботин с нажимом в голосе задал новый вопрос:

— Где документы на машину, а?

— У телки дома в сумке забыл...

— Адрес телки? — почти без вопросительной интонации бросил Чернов.

— Адрес... Не знаю. Не запомнил... Что я, все помнить должен?! — с усиливающимся раздражением в голосе ответил «бык». Ему теперь приходилось вертеть головой от Субботина к Чернову, от Чернова к Челищеву — этот «пинг-понг» заметно выводил его из себя.

— Магнитофон чей? — бесцветным голосом спросил Сергей.

— Мой, отвечаю. Из Саранска привез месяц назад...

В «карусели» наступила пауза, все задвигали стульями, закурили. Субботин, вроде как утративший интерес к «быку», спросил Чернова:

— Следачке звонил?

Чернов кивнул:

— 122-я согласована, ажур!

Гоша затянулся сигаретой, встал и, вроде как прощаясь, ласково сказал Касатонову:

— Отдыхай пока, парень. Шутишь плохо, не смешно совсем. Вещь, — Субботин кивнул на магнитофон, — с двойного убийства, расстрельная статья, кстати. Ладно, пошли, Сергей Саныч, утро вечера мудренее.

Касатонов заерзал на стуле и с испугом и удивлением заговорил торопливо вслед уходящим Субботину и Челищеву:

— Вы че, я, бля, в натуре на дискотеке гулял, не убивал никого, какие убийства?..

Чернов ловко пристегнул наручником Касатонова к батарее и выскочил вслед за гостями в коридор.

Субботин, морщась от рези в глазах, спросил:

— Машины-то хозяина установили?

— Установили, — кивнул Чернов. — Даже побеседовали с ним. Старик этот, дядя Гриша — полный мудак и маразматик, хотя и ветеран. Он уже столько доверенностей на эту тачку понавыписывал, что и не помнит, кому их давал. «Меня просили, я и давал, а к нотариусу они меня сами привозили...» — и большего от него добиться трудно. Твердит, как попугай, что претензий ни к кому не имеет...

— Понятно, — многозначительно протянул Гоша, думая о чем-то своем. — Так завтра следачка во сколько будет?

К десяти, — Чернов зачем-то посмотрел на часы.

— Ну, вот и мы к тому времени завалимся. Юморист посообразительнее станет, подергается, прогреется... И расколется как сука, никуда не денется... «Развалим» мы Михаил Ивановича до самой жопы, у меня предчувствие такое есть...

Субботин довольно подмигнул Челищеву, который задумчиво покивал головой в ответ. Гошино удовлетворение Сергею не передалось. Не верилось ему, что Касатонов, этот «бройлерный кабан», имел какое-то отношение к убийству его родителей. Уж больно спокойно он держался на допросе. Но тогда зачем он явно врет про магнитофон?

«Ничего, ночь „попарится" Михаил Иванович, поумнеет, а утром мы все спокойно выясним», — успокоил себя мысленно Сергей. Он и представить себе не мог, что никакого покоя завтрашний день не принесет, и вместо ответов на старые вопросы он получит новые...

Те, кому довелось провести хотя бы одну ночь в ИВС Смольнинского РУВД, могут засвидетельствовать, что заведение это сильно отличается от санатория. Причем в худшую сторону. Удобств минимум, атмосфера вонючая, потому что от «постояльцев» редко пахнет французским парфюмом...

Из помещения дежурной части доносились какие-то голоса, смех и монотонное бормотание переносного телевизора, который работал в дежурке, несмотря на все запреты и инструкции. Миша Касатонов, в недавнем прошлом спортсмен, подающий надежды, а ныне — обычный рядовой бандит, никак не мог уснуть, ворочаясь на жестких нарах. Мишу терзали два извечных русских вопроса: «Кто виноват?» и «Что делать?» Мише было страшно и муторно, и, он, как заведенный, шептал в темноту: «Во бляди, в блудняк втравили», — и скрипел зубами от тоски, потому как понимал, что в блудняк себя втравил он сам...

Прошлым вечером на хату, где, кроме Касатонова, ночевали еще три быка, ввалился совершенно пьяный Костя-Молоток с какой-то малолеткой. Молоток был бандитом постарше и всякий раз не забывал это подчеркнуть перед салагами типа Касатонова, недавно пришедшими в организацию, у которых еще не было ни заслуг, ни денег, ни даже закрепившейся клички... Молоток вроде как бы «курировал» молодых рекрутов, хотя воспитателем он был плохим и, говоря молодым быкам о строжайшей дисциплине и полном запрете пьянства в организации, сам неоднократно нажирался как скот в съемной хате молодых, за что неоднократно вздувался своими начальниками.

В этот вечер Костя был вовсе не в себе, и Касатонову показалось, что он не только пьян, но и ширнутый*. И девка — совсем молоденькая — была такая же «двинутая». Косте было вовсе невесело, его лихорадило, он быстро начал что-то говорить про злую судьбу, запричитал, затем позвал Мишиного соседа по комнате и предложил «расписать» малолетку на двоих. Малолетка не сопротивлялась и, похоже, не очень понимала, где она и что с ней делают... Касатонов помялся перед приот-

---

* Ширнутый — находящийся под наркотиком (*жарг.*). Ширево — наркотик (*жарг.*).

крытой дверью в комнату, где вовсю уже шло «порево». Мише нужно было передать Молотку, что его уже который день искал Винт — бригадир и самый большой начальник в организации, кого знал Касатонов, но, похоже, Костя, все равно бы ничего сейчас не воспринял. А потому Касатонов на кухне позвонил по оставленному Винтом телефону и вытащил из Костиной куртки, валявшейся на полу в прихожей, ключи от «восьмерки», которая хоть и считалась общей, но на самом деле была практически постоянно узурпировна Молотком. Мише очень давно хотелось оторваться на «восьмерке» с Веркой, недавней подружкой, работавшей в «подотчетном» ночном ларьке...

Прихватив оставленный Молотком в свой прошлый визит (такой же пьяный и истеричный, как и нынешний) красный двухкассетный «Филипс», Миша задержался у двери в комнату, где малолетка громко стонала от удовольствия, получаемого одновременно спереди и сзади.

— Костя, я, это, машину возьму ненадолго... Моя очередь вроде, да и вам без нее сейчас кайфово, — негромко, скорее для самого себя, чем для братанов, проговорил Касатонов. Посчитав доносящие-

ся из комнаты стоны и урчание, пере-
межающиеся матом, сигналами согласия,
Касатонов тихонько прикрыл за собой
дверь и застучал кроссовками вниз по
лестнице...

Вспоминая все это на жестких нарах
ИВС, Касатонов скрипел зубами от тоски.

Потом он вспомнил, как Винт рассказал, что братву в беде, и особенно в
тюрьме, не бросают, и стал рисовать
в уме разные приятные картинки «от-
мазки», побега и прочей романтической
ерунды. С этими картинками в голове
Миша и задремал. И не слышал, как в
ИВС ввели нового «постояльца», который после того, как за ним закрылась
дверь, помедлил немного, привыкая к темноте, а потом направился прямо к Миш-
киным нарам. Новенький был мужик
лет тридцати — худощавый, с плавными
движениями и хищными тенями на руб-
леном лице.

— Эй, подъем! — негромко сказал худощавый, тряся Касатонова за плечо.

— А... что? А? — Миша никак не мог
оторваться от сна и испуганно таращился
на незнакомца. — Чево?

— Слушай сюда! Ты — Касатонов Михаил Иванович?

— Да, а че?

— Ты наследил, парень! Напачкал! Убрать за собой надо. Подтереть. Без дергатни, спокойно! Винта знаешь? Сделаешь как надо — вытащим...

— Чево-чево сделаешь? — все еще не понимал Касатонов, но в голосе его уже слышалась безнадежная тоска. — Я же не делал ничего!

— А кто ключи от «восьмерки» взял? Сами в руку прыгнули? Слышь, Винт сказал — взять на себя... Вытащим потом, баксами получишь. Девочкам целочки ломать будешь...

— Это же не я, это Костя...

— Костя твой — баран, уже рыбок кормит, — зло оборвал худощавый. — Ты слушай, что делать надо, да запоминай крепче! Второй раз за ради такого красавца никому сто двадцать вторую цеплять на себя неохота! Слушай сюда...

И худощавый начал шептать что-то в самое ухо Касатонова, которому казалось, что он просто видит какой-то кошмарный сон и нужно лишь чуть-чуть напрячься, чтобы не проснуться...

Но худощавый все шептал и шептал Мише в ухо, сидевшему молча, хоть и хотелось ему кричать в голос.

— А если не получится? — спросил Касатонов, заранее зная ответ.

— А не получится — ответишь! Так что лучше — чтобы получилось, корешок... Для тебя лучше...

На следующий день Валера Чернов принял «покаянку» у Касатонова. Миша «раскололся» с раннего утра, и ликующий Валера только успевал записывать: «Я, Касатонов Михаил Иванович, добровольно сообщаю органам милиции следующее, о чем прошу учесть при назначении мне наказания: ... августа 1992 года я решил совершить квартирную кражу по адресу..., так как мне было известно от знакомого по имени Исмаил, что в квартире много антикварных изделий. Когда я путем подбора ключей открыл дверь квартиры и вошел в нее, на меня неожиданно кинулся хозяин. Обороняясь, я три раза ударил его ножом, который у меня был с собой, в область туловища. Удары я наносил сверху вниз. Как убивал хозяйку — помню плохо, потому что очень испугался. Убегая, схватил магнитофон „Филипс", потому что в тот момент не имел средств к существованию. Магнитофон я хотел продать. Орудие преступления (нож) в тот же день я выкинул в Неву... Могу показать, как все происходило, непосредственно на месте преступления...»

Челищев узнал обо всем этом от Субботина, который позвонил ему с утра в прокуратуру. Гоша, похоже, считал, что все закончилось, и несколько удивился ноткам недоверия в голосе Сергея. Челищев предложил Гоше съездить вдвоем в Смольнинское и еще раз «покрутить» Касатонова, на что Субботин, хмыкнув, ответил: «Старик, так уже все, в принципе, ясно... Завтра уличная*, нюансы сами доработаете... А у нас сейчас запарка небольшая, похоже, „серия" пошла... Ты извини, я, если, конечно, очень надо, подъеду, но...»

В общем, ни Челищев, ни Субботин Касатонова перед следственным экспериментом увидеть не смогли... Сергея дернул к себе начальник отдела и долго и нудно выяснял причины задержки дел об убийстве сторожа фирмы «Криста», и Сергей так же долго и нудно что-то врал, потому что, по правде говоря, причина задержки была только одна — Сергею заниматься этим делом было просто некогда, да и неохота.

Перед концом рабочего дня Челищев заскочил к Марии Сергеевне Плоткиной, предпенсионного возраста следачке, полу-

---

* Уличная — следственный эксперимент (жарг.).

чившей в производство дело об убийстве Челищевых. Сергей оставил ей комплект ключей от квартиры, сказав, что тоже постарается успеть к началу «уличной».

— Не возражаете, Мария Сергеевна?

— Ну что вы, Сереженька, конечно... Я все понимаю. — Плоткина всегда «все понимала» и редко возражала кому бы то ни было. Мыслями она давно была на пенсии и досиживала в прокуратуре последние месяцы.

Говорили, что когда-то Мария Сергеевна была хорошим профессионалом, но это было давно. Сейчас главной страстью Плоткиной стало вязание спицами по образцам из журнала «Бурда-моден». Это знали все в прокуратуре, но закрывали на это глаза. Все понимали — возраст. Сергей тоже все понимал. Не понимал он только одного — почему дело об убийстве его родителей «расписали» Марии Сергеевне, которая последние три года получала только самые простые, или, как говорил Андрюха Румянцев, адаптированные дела.

К началу «уличной» Челищев, конечно, опоздал. В прокуратуре ему пришлось срочно писать какие-то справки, неведомо зачем потребовавшиеся шефу «прямо сейчас, Сергей Саныч, не откладывая...»

У подъезда Челищевых сиротливо стояли замызганный «жигуленок» и такой же замызганный «воронок». Две старушки с собачками, оживленно обсуждавшие новость — «убивца Челищевых привезли, рожа-то — злодейская», — тактично замолчали, увидев Сергея. На лестничной площадке второго этажа скучал прыщавый милиционер, одетый по моде участковых в коротковатые форменные брюки не доходившие до верхнего края растоптанных ботинок...

Еще двое красавцев, которые, судя по всему, должны были перекрывать площадку четвертого этажа, курили на третьем — напротив двери Челищевых. Одного из них Сергей узнал — в день убийства он ходил по квартире и приговаривал: «Живут же люди...»

В квартире снова было полно народу. Мария Сергеевна с неизменно добрым лицом что-то писала. Сияющий как медный таз, гордый собой Валера Чернов что-то говорил двум несчастного вида понятым, постоянно приговаривая «под Жеглова»: «Значится, так!»

Седовласый специалист-криминалист в потертой кожаной куртке что-то проверял в видеокамере...

Миша Касатонов был пристегнут за руку к худенькому сержанту в огромной фуражке. Миша был очень бледен и постоянно слизывал пот с верхней губы.

— Касатонов, покажите еще раз, как вы наносили удары, — ласковым голосом сказала Плоткина, кивнув Сергею. — Коля, зайди, пожалуйста.

Участковый Коля с готовностью стал изображать Челищева-старшего. Наверное, он в этот момент думал, что в нем погиб великий артист. А может, думал, что еще не погиб.

— Я испугался, — заговорил Касатонов, — хотел бежать, но мужик схватил меня за горло, и я, обороняясь...

Сергея затрясло, и он сел на диван, доставая сигарету.

— Володя, снимай! — ласково повернулась Плоткина к криминалисту.

— Покажите, как вы наносили удары.

— Ну, вот так, примерно, — Касатонов махнул правой рукой, прикованной к левой руке сержанта, и замер. Вдвоем они стали напоминать известную скульптуру Мухиной «Рабочий и колхозница».

— Сверху вниз? — уточнила Плоткина.

— Да, — трясущимися губами прошептал Касатонов. — Показать трудно — рука закована...

— Момент, — метнулся к Касатонову с сержантиком Чернов. — Я мигом, Мария Сергеевна...

Суетливыми движениями Валера отстегнул Касатонова от сержанта.

— Так как вы били?

— Вот так... — Касатонов махнул рукой сверху вниз, в грудь важного участкового Коли.

Все движения Касатонова были какими-то замедленными, казалось, он о чем-то лихорадочно думал, и Сергей вдруг забеспокоился.

— Покажите еще раз, как? — не отрывая глаз от бумаг, переспросила Плоткина.

— Вот так!

Участковый Коля, казалось, просто сломался от страшного удара ребром ладони в горло. Чернов, получив «вертушку» в голову, падал с не успевшей сойти с лица улыбкой. Криминалист Володя непонятно каким образом отлетел в дальний угол комнаты вместе с видеокамерой, а у ног Касатонова, держась за живот, скулил сержантик, на голове которого каким-то чудом продолжала держаться фуражка. Плоткина подняла от бумаг непонимающие глаза.

— Ты че, блядь, де... — Второй участковый, решивший заглянуть в квартиру на шум, не договорил, вышвырнутый ударом входной двери на лестничную площадку.

— Не стрелять! — истошно заорал Челищев, проскакивая мимо понятых, превратившихся в экспонаты музея восковых фигур, и перепрыгивая через блюющего на пол сержантика...

Касатонов сначала рванулся было вниз, но на площадке второго этажа щелкнул затвором бледный от решимости милиционер. Тогда Касатонов ринулся наверх: «Чердаком уйду!» Он поступал, не думая. Повинуясь приказам могучего инстинкта самосохранения, он бросился наверх, к люку на крышу.

— Не стрелять! — орал Челищев, выскакивая на лестницу.

— Стой, сука! — захрипел участковый, лежавший на лестничной площадке, пытаясь достать пистолет из-под плаща.

Челищев, задыхаясь, бежал за Касатоновым, который уже перелезал через решетку, отделяющую последнюю площадку от остальной лестницы. Люк на крышу был открыт.

— Стой!

— Отсосите, пидоры! — визгливо выдохнул Касатонов.

Тут снизу гулко ударили два выстрела.

Миша замер на решетке, будто задумавшись о чем-то, а потом разжал пальцы и упал в пролет...

Челищев помчался вниз, мимо открывающихся дверей, в которых белели испуганные лица соседей.

Касатонов был еще жив, и ему было очень больно. Он дергался и всхлипывал, лежа на спине, и стонал тоненьким мальчишеским голосом:

— Мама, ой, больно как, мамочка!..

— Сейчас, Миша, сейчас, — бормотал Челищев, опускаясь на пол рядом с Касатоновым и подхватывая его голову рукой. — Сейчас доктор приедет, ты что же это натворил...

— Не прие... — Миша забился, застонал на руках Челищева и угасающим голосом прошептал, отчаянно тараща мутнеющие глаза:

— Я не... не убивал... я даже не...

Потом Миша дернулся и затих, а Челищев все сидел и придерживал его за голову, пока сверху не приковылял Валера Чернов с пистолетом в руке:

— Сергей Саныч?! А?! Как же это? Но — он сам... Мы все по инструкции... А?!

Челищев медленно встал с пола и посмотрел на кровь Касатонова на своих руках. Потом глянул на растерянное лицо Чернова и коротко, презрительно бросил:

— Тебе, Валера, не в ментовке работать, тебе коров пасти надо!

Второй час Сергей пытался сосредоточиться на формуле обвинения по делу сторожа фирмы «Криста», злодейски убитого приятелями-собутыльниками во время ночного дежурства. Несмотря на то, что в деле со сторожем-алкоголиком все было предельно ясно, Челищев с трудом печатал каждую строчку по пять минут. Мыслями он постоянно возвращался к погибшему Касатонову и его последней фразе: «Я не убивал». К тому же Миша показывал, что бил ножом сверху, а Субботин, видевший трупы, сказал, что отца ударили ножом снизу... Что-то не складывалось во всей этой истории, и это «что-то» не давало Сергею покоя.

Оставив в машинке лист с недопечатанным обвинением, Сергей толкнулся в дверь шефа. Дверь была заперта. Челищев прошел в приемную прокурора и хмуро спросил Воронину:

— В бункере?

— Да, — Юля полуприветала со стула навстречу Челищеву. — Совещание.

— Мой выйдет, скажи, что я к судмедэксперту поехал...

Поехал Челищев, как обычно, «одиннадцатым» маршрутом — то есть общественным транспортом и пешком.

К экспертам ездить Сергей не любил, потому что запахи в этом заведении были не для слабонервных... В канцелярии Челищев взял материалы по своему сторожу и толкнулся в кабинетик Антоши Худово, судмедэксперта, который проводил вскрытие трупов Челищевых. Антоша был на очередном вскрытии, и в кабинетике сидели только две молоденькие лаборантки, аппетитно уплетавшие бутерброды с вареной колбасой.

Ждать Антошу с ними Челищев не захотел и вышел в коридор. Пока он был в кабинете, в коридор успели внести носилки с очередным трупом, прикрытым простыней.

Сергей задумчиво уставился на носилки.

— Хороша красотка? — пьяненький санитар, хохотнув, отдернул простынь.

Девушка, лежавшая на носилках, и впрямь, видно, была при жизни красива. Краски лица еще не успели потускнеть. У левого соска чернело небольшое пулевое отверстие...

— С «черными» трахалась девочка, — икнув, прокомментировал санитар, — ну и попала под разборку. А хороша...

И санитар чмокнул губами.

Челищев подавил желание выругаться и отошел к окну, доставая сигарету. Что толку срывать раздражение на санитаре? Они — люди убогие, работающие не за страх, а за спирт...

— Давно ждешь?

Сергея хлопнул по плечу Антоша Худово. Худово был всего несколькими годами старше Челищева, но выглядел глубоким стариком. Каждодневные неумеренные дозы спирта делали свое дело. Но алкоголиком Худово себя не считал, заявляя, что «алкоголики — это когда деградация личности. А я еще вполне функционирую».

— Антоша, — сказал Сергей, — я насчет заключения по моим...

— Да, да... — горестно кивнул Худово. — В принципе готово, но я еще не отпечатал, у нас тут — сам видишь, каждый день «клиенты» новые... Как будто живыми в очередях не настоялись.

— Мне не нужно отпечатанное, мне только узнать, как наносились удары. Просто для себя.

— Ну, это пожалуйста. Пошли ко мне. «Мерзавчика» примешь?

— Да нет, спасибо. И без того хреново.

— Ну, как знаешь, как знаешь... — Антоша распахнул дверь в свой кабинет и распорядился:

— Ларисочка, дозу!

Ларисочка, лаборантка с глазами сумасшедшей кошки, через которую, как говорили, прошел весь «убойный цех», заколыхала грудью, рискуя порвать халатик, и налила Худово рюмку спирта. Ларисочка все делала, колыхая грудью, и надо отметить, колыхать было чем...

Худово деловито «принял» и стал разгребать бумаги на своем столе, мурлыкая себе под нос: «Сейчас, сейчас мы их отыщем, сейчас, сейчас мы их найдем...»

— А... На, вот они... Ну, так что тебя интересует?

— По отцу...

Сергей запнулся и поправился:

— По мужскому трупу... Куда были удары и как наносились?

Худово снова замурлыкал, читая свои каракули: «Удары, удары, удары...»

— А, вот: два проникающих ранения — одно в область живота, другое — смертельное, в левую сторону груди, а наносились они снизу вверх!

— Антоша, ты ничего не путаешь? Не наоборот?

Худово оскорбленно хрюкнул и дрыгнул мизинчиком в сторону рюмки. Последний жест предназначался Ларисочке, которая с готовностью налила «мерзавчика».

Худово возмущенно выпил спирт и зажевал колбасой.

— Ты меня просто обижаешь, старик... Не ожидал. На, если хочешь, прочитай сам!

Антоша протянул Челищеву листки со своими каракулями.

— Да нет, это лишнее,— ответил Челищев, вставая с табуретки. — Ладно, без обид. Поехал я.

— А может, «мерзавчик»? — легко простил Сергея Худово.

— Да, Сереженька, посиди с нами,— наваливаясь на плечо Челищева, проговорила Ларисочка. — Что ты сегодня такой злюка?

— В другой раз. Непременно. Пока.

Челищев осторожно усадил Ларисочку на стул (чтобы за пазухой у нее не расплескалось) и ушел из кабинетика...

После разговора с Худово Сергей больше не сомневался в том, что покойный Миша Касатонов почти никакого отношения к убийству Челищевых не имел.

Почти — потому что Миша был каким-то образом связан с теми, кто уговорил его взять вину на себя. А вот эти «кто-то» должны были знать, кто убивал и почему. Касатонов не мог оговорить себя просто так, ему могли передать приказ только те, кого он знал и боялся...

Кто они? Сергей закрыл глаза и попробовал представить себе этих людей, но подсознание рисовало только какие-то жуткие темные силуэты... Челищев вздохнул и снял телефонную трубку.

— Степа, привет, это Сергей Челищев... Да, спасибо... Давненько мы с тобой книжки не смотрели... Давай сегодня в 18.00, на обычном месте... Лады!

Сергей звонил Степе Маркову, оперу из ОРБ. Марков учился на юрфаке двумя курсами позже Челищева. Нельзя сказать, чтобы они были большими приятелями, но знали друг друга хорошо. Они поддерживали взаимовыгодный контакт, изредка обмениваясь информацией. Пару раз Челищев кое-что подсказал Маркову. Один раз это «кое-что» спасло Степу от неприятности. Они встречались обычно у Финляндского вокзала, на книжных развалах. В принципе, особой необходимости в такой конспирации не было, но руководство каждого правоохранительного органа не особенно приветствует тесные внеслужебные контакты с людьми из другого ведомства. В каждой избушке есть не только свои погремушки, но и свои маленькие и большие тайны, которые вовсе ни к чему выносить из этих самых избушек. Поэтому Челищев и Марков встречались на книжных развалах как шпионы и постоянно шутили по этому поводу, понимая, что в каждой шутке — только доля шутки...

— Степа, мне нужно полностью прокинуть одного покойника. Убиенный был бандитом, из молодых. Как раз по вашему ведомству, — говорил Челищев Маркову, — разглядывавшему томик Чейза. — Мне нужно знать, из какой он группировки, кто там над ним стоял, ну и все такое прочее — как можно подробнее...

Марков оторвался от Чейза и посмотрел на Челищева.

— А покойничек питерский был?

— В том-то и дело, что нет... Из приехавших за счастьем. Притом недавно приехавших.

Степан скривил нос и с сомнением покачал головой.

— Да, я понимаю, что вы не волшебники... Но вдруг? Это мне лично надо. Очень!

Марков вздохнул и прищурился:

— Разве что только для тебя!.. Попробую что-нибудь!

— Лады! Заметано! Заранее благодарю. Только пробуй, если можно, побыстрее... Я боюсь, и так времени слишком много потеряно...

Прошло еще несколько дней, и однажды после обеда к Сергею в кабинет заглянула баба Дуся, которая стрельнула у Челищева сигаретку и, затянувшись дымом, сказала:

— Машка-то Плоткина — дело в архив отписывает...

— Какое дело? — не сразу понял Сергей.

Баба Дуся вздохнула, покачала головой и ушла.

Сергей, конечно, уже понял, что в архив списывают дело об убийстве Челищевых — как раскрытое. Убийца — Касатонов — был пойман, вину признал и погиб во время попытки к бегству. А расхождения в его показаниях с данными экспертизы? Кто с этим будет возиться, кто обратит на это внимание?

Понимая все это, Челищев все-таки пошел к Плоткиной.

Мария Сергеевна что-то писала и радостно, по-доброму заулыбалась Сергею.

— Заходите, Сереженька, садитесь...

Садиться Челищев не стал. С иронией посмотрев на Плоткину, он зло спросил:

— В архив, значит? — и кивнул на нетолстую папку.

— А что? Дело раскрытое, ясное... Есть, конечно, кое-какие огрехи, но — где их нет?

— Угу... Раскрытое, значит... А можно мне дело полистать немного?! — протянул было руку к папке Сергей, но Плоткина накрыла ее своей рукой.

— Сергей Александрович, я понимаю, погибли близкие вам люди... Когда могла, я шла вам навстречу... Ничего хорошего из этого, как видно, не вышло... Я позволила вам быть на эксперименте — а ведь это после вашего прихода Касатонов вдруг решился на побег...

— Что?! — оторопел Челищев.

А Плоткина вдруг посмотрела на него холодно, без всякой пенсионной доброты в глазах:

— Вам что-то не нравится, Сергей Александрович?

Сергей постоял немного, дергая щекой, и кивнул:

— Да, Мария Сергеевна. Мне все не нравится!

И шарахнул дверью кабинета Плоткиной.

Вызов к Прохоренко не заставил себя долго ждать. К Челищеву прибежала взволнованная Воронина и, испуганно тараща круглые глаза, пролепетала:

— Сережа, тебя к шефу... — Юля понизила голос и добавила: — Злой, как черт! Ты что, натворил что-нибудь?

Сергей смял окурок в пепельнице и буркнул:

— Нет, только собираюсь натворить... Сейчас буду.

Николай Степанович разгуливал по своему кабинету со скоростью, явно превышающей скорость его обычно плавной степенной походки. Руки Челищеву на этот раз он не подал и сесть не предложил.

Челищев молчал, предпочитая, чтобы разговор начал Прохоренко. «Ишь ты, какие мы сердитые-то... Ну давай, Козявочник, начинай меня прорабатывать. С чего начнешь? Не иначе как со сторожа-упокойничка...» — усмехнулся про себя Сергей.

— Сергей Александрович! — словно угадав его мысли, развернулся к Челищеву Прохоренко. — Что у вас со сторожем «Кристы»? Почему затягиваете? Вам по срокам уже давно пора на 201-ю выходить, но вы, видимо, заняты более важными делами, и на вашу непосредственную работу времени не остается... Мне непонятно, почему вы занимаетесь личными вопросами в ущерб служебным?!

Челищев, подавляя поднимающееся раздражение, ответил:

— Я не личными делами занимаюсь...

Но Прохоренко, поднимая тон, перебил его:

— Вы не в частной лавочке работаете, Челищев! Если вам частным сыском заниматься хочется — пожалуйста, никто не держит! Лицензию получайте — и вперед! Но и тогда вам никто не даст права оскорблять наших заслуженных работников. Мария Сергеевна не заслужила хамства от вас, который вдвое младше нее по возрасту! Да она в прокуратуре работала, когда вас еще на свете не было! Плоткина душой за дело болеет, и мы никому не позволим так с ней обращаться!

— «Так» — это как? — спросил Челищев, но Прохоренко продолжал свою гневную речь, не обратив на реплику Сергея никакого внимания.

— Впрочем, вы не только с нашими сотрудниками конфликтуете, но и оскорбляете представителей других ведомств, поднадзорных нам, что вдвойне безнравственно.

— Кого это я оскорбляю?

— Чернов, которого вы незаслуженно облили грязью, прилюдно причем, с отличием закончил школу милиции, этот офицер на хорошем счету, и вам никто не...

Кровь бросилась в голову Сергею, когда он вспомнил жалкое лицо Чернова, ковылявшего с пистолетом к остывающему телу Касатонова... Уже не очень отдавая себе отчет в последствиях, Челищев хрипло спросил, как выплюнул:

— Что с делом Челищевых делать будете? В архив прятать?!

Николай Степанович словно поперхнулся, побагровел и рявкнул:

— Вы забываетесь, Челищев!

Сергей сдавленным голосом, чтобы не заорать от ненависти и злобы, прохрипел-прокаркал:

— Это вы, похоже, давно забыли, где работаете и для чего...

Прохоренко был уже не багрового, а какого-то нехорошего синеватого цвета:

— Ах ты... щенок! Не хочешь работать — никто не держит... Клади удостоверение на стол — и куда угодно!

Челищев внезапно успокоился и с интересом посмотрел на Прохоренко:

— А что это вы так занервничали, Николай Степанович? На «ты» перешли... Это у вас в Воронеже так принято?!

— Вон!!! — заорал Прохоренко и, тыча пальцем в стол, задыхаясь, прохрипел: — Удостоверение...

Челищев молча достал удостоверение, раскрыл его и, завернув «блинчиком», швырнул на прокурорский стол. Потом развернулся и, уже стоя к Прохоренко спиной, услышал:

— Готовь дела к сдаче!

Совершенно спокойно Челищев вернулся к столу Николая Степановича, достал ключи от сейфа и аккуратно, не звякая, положил их на полированную поверхность.

Неслышно ступая по ковровой дорожке, Челищев дошел до двери, открыл ее, не взглянув на прокурора, аккуратно, без стука прикрыл и, не глядя на Юлю в приемной, с ужасом смотревшую на него, пошел к себе в кабинет...

Увольнение много времени не заняло. За те несколько дней, пока Челищев сдавал дела, подписывал «бегунок» и расписывался в бухгалтерии, вокруг него образовался вакуум, как будто он заболел проказой. Как назло, не было даже Андрея Румянцева, уехавшего в Генеральную прокуратуру «пропихивать» дело о коррупции в мэрии. Звенящая пустота поселилась у Сергея в душе. Он ни о чем не жалел, но ему было, конечно, плохо, муторно.

Собрав вещи, он сидел в своем кабинете, прощаясь с ним, понимая, что уходит навсегда.

— Здравствуй, Сережа, — в кабинет вошла баба Дуся. — Собрался?

— Заходи, баб Дусь, — обрадовался Челищев. — Посошок со мной примешь?

— Наливай, с хорошим человеком грех не выпить...

Челищев налил по полстакана из начатой бутылки «Распутина».

Выпили молча, не чокаясь, как на поминках. Сергей сразу же разлил по стаканам остатки водки.

— Переживаешь? — спросила баба Дуся.

— Да как тебе сказать... — поднял глаза Челищев и осекся.

Морщины у бабы Дуси разгладились, нелепый голубой платочек упал на плечи, обнажив густые седые волосы... На стуле сидела не уборщица, а интеллигентная, мудрая женщина со скорбными, умными глазами.

— Не переживай, Сергей Александрович... Уходишь, и правильно делаешь... Еще бы немного здесь поработал, и перемололи бы тебя, как меня в свое время...

Баба Дуся выпила водку легко и красиво и четкими, уверенными движениями взяла сигарету...

— Я ведь не всю жизнь была «бабой Дусей» — уборщицей-алкоголичкой... Карьера у меня была совсем другая... «Важняком» закончила... «Важняка» за дело банды Толстопятова получила, в Ростове тогда сводная бригада работала... Красивое раскрытие было, Сереженька.

Челищев что-то смутно стал припоминать, удивленно глядя на сидевшую перед ним незнакомую женщину.

— А сломали меня уже потом, на «луковом деле»... Про него ты, конечно, слышал... Много народу через него прошло, много навсегда успокоилось... Братья Седюки завязаны там тоже были, но ушли, не успели мы...

Про «луковое дело» Челищев слышал. Следаки постарше, подвыпив, иногда рассказывали какие-то невероятные истории, что в начале 80-х ковырнула питерская прокуратура по-настоящему «торговую мафию»... Тогда был большой дефицит лука, а по всем отчетам прошли сведения, что урожай лука пропал. На самом деле он был собран, но несколько эшелонов с луком исчезло. А потом партии репчатого лука стали вдруг появляться на рынках... Дело тогда замяли, потому что ниточки шли уже к очень крутым и серьезным людям.

— Не знаю, чего мне тогда не хватало. Умная ведь была уже, битая и стреляная. Меня сначала к ордену представили, когда дело еще только начиналось... Мне бы понять намек, да, видно, гордыня обуяла... Потом — автокатастрофа, какой-то пьяный водитель грузовика буквально растоптал нашу дежурную «Волгу»... Водителя того потом нашли повесившимся... Пока в больнице лежала — два раза «случайно» капельница у меня обрывалась, выкарабкалась чудом... Муж ушел... Потом — мне уже выписываться — сын, Алеша мой, в колхозе утонул... На картошке они были студентами. Он на курс старше тебя учился...

Пораженный Челищев вспомнил эту историю, они только поступили, и весь юрфак гудел про эту смерть, и вспомнил он даже фотографию в траурной рамке с объявлением о дне похорон — она висела на доске расписаний.

— Из прокуратуры я, конечно, ушла... Помыкалась немного юрисконсультом «Ленвторсырья», дошла до ручки — Галка-помойка меня на работу устраивала! Потом — пенсия... Дома сидеть не смогла, устроилась сюда вот уборщицей... Меня тут многие помнят, только вид делают, что не узнают. Да мне и не надо. Мне вообще уже мало что нужно в жизни...

Сергей смотрел на бабу Дусю и не мог поверить в то, что у старенькой уборщицы, оказывается, была такая страшная судьба.

— Так что беги отсюда, Сереженька, пока тебя не пережевали и не выплюнули. А ведь начали уже...

Водка, огромное нервное напряжение последних дней и страшноватый рассказ бабы Дуси сломали ледяную корку внутри. Взяв старую женщину за руку, он неожиданно для себя самого затрясся в рыданиях, выплескивая в теплую сильную ладонь свою боль, обиду, отчаяние и злость...

— Ничего, ничего, Сергей Саныч, — говорила баба Дуся, гладя его по волосам. — Все будет хорошо. Ты парень сильный и до конца еще нашей системой не изломанный... Оправишься, отойдешь... С горячки только глупостей не натвори...

Один ты ничего не сможешь. Думай и не забывай оглядываться, считай на ход вперед.

— Я считаю, — как обиженный ребенок буркнул в ладонь бабы Дуси Челищев, но та не дала ему поднять голову, продолжая гладить его по волосам.

— Ничего ты пока не считаешь... Считал бы, не стал бы Юльку Воронину трахать, шлюху валютную... — Челищев дернулся, но сильная рука не дала его голове подняться. — Молчи и слушай, сынок... Прохоренко Юльку никому просто так не отдаст, а сама она слишком крепко у него на «кукане» сидит, чтобы самодеятельность себе позволить... Ты не знаешь, из какого дерьма он ее вытащил... Вытащил — но в любой момент обратно толкнуть может. Они с Никодимовым ее только под самых нужных людей подкладывали, под таких милицейских начальников, по сравнению с которыми ты просто мальчик... Видно, и от тебя что-то срочно потребовалось... Или могло потребоваться... Считай, что родители твои своей смертью тебя из-под чего-то вывели, карты им смешали... Ты лежи, лежи, глаза закрой, расслабься, со мной можно, с другими нельзя... Куда уходишь-то?

— В адвокатуру ткнусь, — сквозь навалившуюся с непонятной силой дрему пробормотал Челищев.

— В адвокатуру, значит, — доносился до него уплывающий голос бабы Дуси. — Не сдался, значит, с другого конца зайти хочешь... Тебя с твоей репутацией в адвокатуру-то могут и не взять.

— Возьмут! — прошептал Челищев, засыпая.

— Может, и возьмут, — согласилась баба Дуся, рассеянно продолжая гладить Сергея по голове, — а не возьмут сразу, может, и я чем-нибудь тебе помогу. Передо мной в областной у кое-кого должки остались... Может, и пришла пора их отдавать...

Этого Челищев уже не слышал. Он уснул, и ему приснилась дорога в степи, уходящая за горизонт... Жарко, пить хочется Сергею, знает он, что за его спиной дом стоит, можно оглянуться, зайти в хату, воды попить, лечь отдохнуть, но словно голос какой-то в уши шепчет: «Не оглядывайся, не оборачивайся». Послушался Сергей голоса, пошел по дороге, не оборачиваясь, далеко ушел, потом на холм поднялся, где как раз дорога поворачивала, глянул назад, где дом стоял, откуда он на дорогу ступил, — а нет там дома, пепелище черное, тени какие-то серые движутся, словно за Сергеем в погоню кинуться хотят. Крикнул Челищев, побежал, но споткнулся и упал, с холма вниз покатился...

Челищев со стоном поднялся с пола. Во сне он упал со стула, сидя на котором уснул. Сколько он проспал? Челищев глянул на часы и удивился — всего-то полчаса, а выспался так, будто ночь целую без задних ног дрых. Вот только в горле у Сергея было суховато после водки, но голова была на удивление ясной. Его взгляд упал на полную бутылку минеральной воды, стоявшей на какой-то записке.

Челищев сковырнул пробку о край стола и жадно глотал минералку, пока не выпил всю бутылку. Потом Сергей закурил и взял записку со стола. На клочке бумаги были написаны семь цифр и слово: «Позвони».

— Молодец, баба Дуся, спасибо. Позвоню обязательно, — пробормотал Челищев, пряча записку в карман. Потом он погасил в пепельнице сигарету, поднял сумку, огляделся в последний раз и, тряхнув волосами, вышел из кабинета...

Сергей думал, что покидает прокуратуру навсегда...

Часть II
АДВОКАТ

Удостоверение адвоката Челищев получил довольно быстро. Шеф областной коллегии адвокатов Семен Борисович Ланкин, конечно, не был сильно обрадован визитом Сергея и просьбой взять его на работу.

— Не знаю, что и сказать вам, Сергей Александрович...— Ланкин растерянно бродил по кабинету, потирая холеные ладошки.— Согласитесь, с вашей репутацией — в адвокаты... Просто не знаю...

Репутация у Челищева в адвокатских кругах была действительно аховая. Адвокатов он не любил, не «договаривался» и вообще вел себя так, что быстро заработал себе не характерную для работников прокуратуры кличку «мент». Был бы на месте Ланкина другой человек — Челищев, возможно, просто не стал бы тратить время на бессмысленное обивание порогов. Но за Семеном Борисовичем был должок. Лет пять назад, когда Ланкин еще не возглавлял адвокатуру, Челищев на подсадке* в «Крестах» во время одного допроса стал случайным свидетелем того, как Ланкин передал широко своему клиенту. Клиента потом ошмонали контролеры, и Ланкину было бы очень плохо, если бы Челищев дал на него показания. Сергей этого делать не стал, пожалев смертельно перепуганного респектабельного адвоката. Ланкин, правда, тогда вроде как «отдарился», прислав без письма Челищеву огромную бутылку дорогущего коньяка «Армения», который Сергеем был немедленно выпит с большим энтузиазмом в компании с Андреем Румянцевым. Однако Сергей справедливо полагал, что коньяк и возможный срок — вещи малосопоставимые, хотя бы по временному фактору воздействия на человеческий организм.

И вот теперь Семен Борисович, ломая ручки, метался по кабинету, пытаясь разрешить чудовищную дилемму: взять «мента» в свой корпоративный и закрытый от случайных людей «междусобойчик» или

---

* Подсадка — ситуация, когда из-за недостатка помещений в одной комнате оказываются несколько адвокатов со своими подследственными (*жарг.*).

расписаться в том, что он, Семен Борисович Ланкин, неблагодарная, не помнящая добра свинья.

— Просто не знаю, как вы сможете... э-э... влиться в коллектив... Вы меня, надеюсь, понимаете... Согласитесь, ваши э-э... совсем недавние взгляды и даже некоторые... э-э... поступки носили характер... э-э... юридического экстремизма... Вы меня понимаете?

Челищев все прекрасно понимал. Месяца три назад некий коллега Семена Борисовича настолько достал Сергея своей неугомонной активностью по выискиванию малейших нарушений формальностей в деле и опротестовыванием буквально каждого шага следствия, что Челищев однажды не выдержал и без свидетелей послал адвоката на три русские буквы, назвав еще при этом защитника «пидором»...

— К тому же я не уверен, что у нас для вас найдутся... э-э... клиенты, достойные вашей... э-э... бесспорно высокой юридической квалификации... Вы же не захотите браться за такие дела, как, например, кража колес из «Запорожца»...

— Захочу, — перебил Панкина Сергей. — Отчего же... Я как раз считаю, что начинать всегда нужно с малого... Опыта набраться, поучиться... Да, кстати, Семен Борисович, меня просила с оказией передать вам привет Евдокия Андреевна Кузнецова...

Ланкин дернулся и побледнел так, как будто вместо Сергея увидел перед собой вырвавшегося из ада вурдалака.

— Она... жива?!

— Да, вполне. — Сергей вежливо улыбнулся, а потом буквально повторил фразу, которую заставила его выучить наизусть баба Дуся:

— Она часто вас вспоминает и бережно хранит ваши письма, которые ей очень дороги...

Ланкин рухнул в кресло и долго молчал, с ужасом глядя на Сергея. Потом он несколько раз судорожно вздохнул и наконец сказал:

— Спасибо... Я очень хорошо помню Евдокию Андреевну... Поклон ей от меня... А что касается вас — ну что же, давайте попробуем... Я думаю, что смогу убедить коллег... В конце концов, времена меняются, и мы меняемся вместе с ними...

Вот так Сергей стал адвокатом, осуществив тем самым заветную мечту своей мамы. К сожалению, возрадоваться Марина Ильинична могла теперь разве что на небесах, в существование которых Сергей не очень верил...

Отношения с новыми коллегами у Челищева, конечно, не сложились. Он был для них чужаком, ментом, с непонятной целью влезшим в их вотчину, на их территорию. Да Сергей и сам не стремился завязывать дружеские отношения с коллегами. Ему нужны были серьезные клиенты, завоевав доверие которых Челищев надеялся продвинуться к разгадке страшной смерти своих родителей.

Но проработав в адвокатуре пару месяцев, Сергей понял, что его первоначальный план был по меньшей мере наивен. Никто не подпускал его к клиентам из числа серьезных городских «мафиози», имевших своих постоянных, проверенных адвокатов. На Челищева в адвокатуре сваливали всевозможное мелкоуголовное дерьмо, которое занимало уйму времени, не давая взамен ни морального, ни материального удовлетворения. За два месяца Челищев не продвинулся в своем частном расследовании ни на сантиметр. А тут еще и Степу Маркова откомандировали в Москву на учебу.

Вечерами Сергей иногда встречался с Андрюхой Румянцевым, который рассказывал ему последние прокуратурские новости. Но встречи эти становились все реже, потому что общих тем у недавних коллег и соратников было все меньше и меньше. К тому же Сергей быстро понял, что Андрей, не говоря об этом открыто, был вовсе не в восторге от поддержания отношений с тем, кто в прокуратуре предан анафеме.

Оставаясь ночью один в пустой квартире, Сергей мучился от бессонницы, смоля в темноте сигарету за сигаретой, с трудом подавляя настойчивое желание выпить...

Так продолжалось до середины ноября, и Челищев все чаще задавал себе вопрос: «Зачем?» Вопрос был глобальным и жутковатым: зачем он ушел из прокуратуры, зачем пришел в адвокатуру и вообще зачем все это продолжать?..

Однажды во второй половине дня, мучая себя бесконечными «зачем», Челищев поплелся в «Кресты» на встречу с очередным клиентом — придурком-слесарем, который на общей пьянке трахнул жену приятеля, а когда та, увидев очухавшегося от портвейна мужа, заорала: «Насилуют!», неожиданно проломил рогатому дружку голову бутылкой, Предыдущий разговор со слесарем чуть не свел Челищева с ума, потому что «насильник» мыслил с трудом, постоянно хватал Сергея за рукав и возмущенно повторял:

— Не, а че они, как эти?..

С тоской ожидая клиента, Челищев медленно прогуливаются взад-вперед по допросному коридору «Крестов». Из третьей по правой стене комнаты для допросов тетка-контролер вывела здоровенного парня в длинной кожаной куртке. Его чуть ссутуленная спина и коротко стриженный затылок вдруг что-то напомнили Сергею, заставив его сделать шаг вперед. Все еще не узнавая конвоируемого, Челищев тем не менее почувствовал, как сердце лихорадочно заколотилось о ребра, выплеснув в кровь огромное количество адреналина. Ладони у Сергея стали влажными, и в этот момент стриженый оглянулся... Когда их глаза встретились, Челищеву показалось, что сердце у него остановилось, потому что на него смотрел своими зеленоватыми глазами Олег Званцев... Казалось, все замерло в тюрьме, как в заколдованном царстве, время остановилось, а Сергей и Олег все смотрели не отрываясь друг на друга. Некрасивая контролерша подтолкнула Олега в спину, открыла стакан* и лязгнула зам-

---

* Стакан — камера (*жарг.*).

ком. Время, остановившееся мгновение назад, вдруг понеслось с чудовищной быстротой, обгоняя обрывки мыслей, метавшихся в мозгу Челищева.

«Не может быть... Афган... Он погиб там восемь лет назад... Но это точно он... Олежка... И он меня тоже узнал... Афган... Не может быть... Почему он в тюрьме?»

Контролерша отошла к дежурке, и Сергей, пытаясь не ускорять шаг, подошел к «стакану», в котором, скорчившись, сидел стриженый... Челищев заглянул в окошечко и снова встретился глазами с Олегом... Да, это был он, изменившийся, с огрубевшими чертами лица и похолодевшими глазами, но он, Олежка Званцев, лучший друг, которого Челищев потерял восемь лет назад, оплакал и которого он до сих пор иногда видел во снах, потому что второго такого друга Сергей так и не встретил.

— Здорово, Серега! — голос Олега доносился из стакана глухо, словно из могилы, как подумалось Челищеву, которому казалось, что он снова видит какой-то странный сон.

— Олежка... Ты жив?! — прошептал Челищев пересохшими губами. Званцев скорее прочитал вопрос по губам, чем услышал, и угрюмо хмыкнул:

— Живой, как видишь!

Олег поморщился, словно от сдерживаемой боли, и на мгновение прикрыл глаза...

...Возможно, если бы тогда, осенью 1984 года в Баграме, младший сержант 345-го полка ВДВ Званцев не пошел на боевые вместе со своей ротой глубинной разведки — все бы в его жизни сложилось иначе... А, может быть, и нет, да и что толку гадать: «Что было бы, если бы я не...» Званцеву до дембеля оставался месяц, и, в принципе, он мог бы отказаться от боевых, никто бы его не осудил, дембеля имели свои негласные преимущества, признаваемые почти безоговорочно всеми в «сороковой»* — и солдатами, и офицерами...

Но отказаться от крайних (в Афгане избегали прилагательного «последних») боевых было все-таки негоже... К тому же Гриша Ураков, также готовившийся к дембелю москвич, корешок Званцева, привел самый труднооспоримый довод:

— Слышь, бача**, пока до Асадабада дойдем, бакшиш подсобираем, дуканы по-

---

* Сороковая — 40-я армия, она же — «ограниченный контингент советских Вооруженных сил в Афганистане».
** Бача — парень (на языке дари).

трясем... Чтоб не пустыми уходить в Союз... Слышь, Адвокат?

Адвокатом Званцева прозвали за его два курса юрфака. Олег сначала заводился на эту кличку, а потом привык, потому что клички были почти у всех, и «Адвокат» была еще не самая плохая...

Полтора года в Афганистане сильно изменили Олега. Кровь, жестокость, гипертрофированная грубость человеческих отношений на войне и чудовищная бессмысленность происходящего не сломали Званцева, но словно заморозили его изнутри.

Романтика «интернационализма» вылетела из головы в первый же месяц, после первого же сопровождения колонны по Салангу. Дальше все пошло еще быстрее: альтернатива была проста — либо принять жестокие и страшные законы войны, либо свихнуться или погибнуть. Слабонервные и добренькие гибли первыми. Званцев хотел вернуться.

Первый «дух», которого Олег замочил лично, словно отрезал Званцева от тех, кто остался в Союзе. То есть Олег, конечно, вспоминал и Сергея, и Катю, но они стремительно отдалялись от него. Катя вообще была неизвестно где, известно только, что устроилась она сытно со своим мужиком. Сергей... Через три месяца в Афгане Челищев казался Званцеву наивным ребенком, как и тот Олежка Званцев, который учился миллион лет назад на юрфаке.

Олег писал в Союз редко, потому что письма все равно слишком часто не доходили — либо из-за цензуры, либо просто из-за раздолбайства почты. Уйдя в армию из-за презрительно брошенного Катериной слова «сопляки», Олег считал, что стал в Афгане мужиком. Среди своих братков он был в уважухе. Стараясь не вспоминать о Кате, он все равно постоянно думал о ней, и мысли эти теперь были грубыми, животными. Олег скрипел зубами по ночам, думая о том, каким дураком он был тогда в Союзе. Права была Катька, сопляками они были с Серегой. Надо было хватать Катерину и держать крепко, а не ахи-охи разводить... А может быть, она ждала того, что ее схватит не он, а Серега?

«Ничего, вернемся — разберемся», — как молитву, каждую ночь шептал Званцев, засыпая...

До Асадабада Званцев не дошел. На переходе от Баграма к Кабулу Олег почувствовал себя плохо. Он крепился, надеялся, что все пройдет. На полдороге до

Джелалабада БМП* Званцева, ушедший чуть в сторону от основной трассы в боевое охранение, подорвался на противотанковой мине. Серьезно никто не пострадал, Олега скинуло с брони и, видимо, слегка контузило... Контузия была совсем легкая, и все бы обошлось, если бы желтуха уже не схватила его...

Они еще не дошли до Джелалабада, когда Званцев почувствовал, что ему просто кранты...

Взводный угрюмо выслушал Олега, выматерился и без особой надежды в голосе спросил:

— А курить можешь?

— Нет... Тошнит все время... Херово...

— А моча как?

Олег без слов махнул рукой.

— Понятно... И повезло же тебе... Ладно, давай к ротному, бери направление...

В джелалабадском медсанбате Званцева не приняли, потому что мест там не было совсем. Медсанбат был забит ранеными, которые лежали просто под открытым небом. Из Кабула ждали две «вертушки», которые должны были забрать партию тяжелых в кабульский госпиталь.

---

* БМП — боевая машина пехоты.

К этой партии причислили и Олега, который держался уже просто из последних сил, балансируя на грани забытья...

Под вечер пришли «вертушки». Не глуша двигателей, выскочившие экипажи стали матюками подгонять погрузку.

Младший сержант Званцев был вписан в посадочный лист второго борта и ждал, пока загрузят тяжелых, борясь с подступающей дурнотой.

Из первой «вертушки» выскочил летчик, что-то заорал санитарам, потом подскочил к Званцеву и рявкнул:

— Что стоишь, кенар?! Помоги носилки закинуть!

Олег, шатаясь, помог санитарам впихнуть носилки с изуродованным человеческим телом в чрево «вертушки» и хотел вернуться к своему борту.

— Куда? — заорал летчик. — Живо влезай, бача!

— Да я, вроде, на тот записан... — слабо пытался возразить Званцев.

— Да какая разница! В Кабул? В госпиталь? Ну и влезай живо, там потом разберемся!..

Олег нырнул в вертолет и взлета уже не помнил, потеряв сознание... Через минуту взлетела и вторая машина, взяв курс на Кабул.

Вылетевшая из зеленки, сплошняком окружавшей Джелалабад, очередь из ДШК прошила второй вертолет, который закружился в воздухе и почти отвесно упал среди садов, мгновенно вспыхнув. От экипажа и пассажиров не осталось почти ничего. Утром следующего дня по посадочному листу второй «вертушки» сведения о погибших пошли в их части. Перед боевыми писаря во всех штабах торопились, делали все быстро, ожидая наплыва работы после операции, поэтому похоронка на младшего сержанта Званцева пришла в Ленинград почти мгновенно. Ничего этого Олег не знал, мечась в бреду на койке кабульского госпиталя. Он провалялся в госпитале чуть больше четырех недель, постепенно выныривая к жизни. Званцев ослаб и высох, и только взгляд у него набрал еще большую силу, оказывая на людей почти гипнотическое воздействие. Олег мог бы задержаться в госпитале и дольше, за него держала «мазу» медсестра, любовница главного хирурга, которой Званцев непонятным образом сильно приглянулся и которая так от Олега ничего и не добилась. Но Званцев спешил в Союз.

До Баграма Олег добрался попутками, торопясь навстречу своему дембелю. Но-

вости в родном полку были малоутеши-
тельными: на боевых под Асадабадом ро-
та Званцева понесла большие потери
убитыми и ранеными. Взводный, увидев
Олега, покачал головой и перекрестился.

— Ни хрена себе, ты даешь, бача... На
тебя в Союз похоронка пошла... В твоей
же «вертушке» все погибли..

— Я в первую сел, случайно получилось.

— Ну-ну,— старлей покачал головой.— Давай, Адвокат, двигай к ротному...

Выяснения обстоятельств «гибели» и
«воскрешения» младшего сержанта Званцев заняли несколько дней. Стискивая
зубы, три вечера подряд Олег отвечал на
повторяющиеся выматывающие вопросы
особиста, подозревавшего Званцева неизвестно в чем.

А еще через день получил младший
сержант Званцев письмо из Ленинграда
от Серафимы Ивановны, своей бабушки.

«Внучек мой дорогой, Олеженька!
Как ты там, мальчик мой родной, ненаглядный? Как ты себя чувствуешь, что
с тобой? Две недели назад принесли мне
из военкомата письмо, где пишут, что ты
погиб, но я в это не верю, потому что
сердце мне говорит, что ты живой, про-

сто что-то с тобой случилось. Олеженька, ненаглядный мой, я ни минуточки не верю, что тебя больше нет, потому что Бог не мог допустить этого, ты ведь всегда был таким хорошим мальчиком, и Он не мог позволить такое, и меня Ему наказывать тоже так страшно не за что, я уж думала, что все свои грехи искупила, когда Он забрал у меня Андрюшу и Лену, твоих родителей, хотя и не было у меня таких грехов...

Заходил ко мне несколько раз Сереженька Челищев, он очень переживает, и, наверное, он твой очень хороший друг, а я всегда его считала хорошим мальчиком и очень любила, но я попросила его не приходить ко мне больше, не бередить сердце мне, потому что он утешает меня за то, что тебя убили, а я в это не верю, но ему про это не говорю, чтобы он не подумал, что я выжила из ума... Про Катеньку Шмелеву я ничего не знаю и очень расстраиваюсь, что ты никак не можешь выкинуть ее из головы. Олеженька, родной мой мальчик, я тебя очень жду и пишу тебе, потому что думаю, что письмо мое прочитает Бог, и Он поможет тебе выйти из беды, в которую ты попал. Вот только сил у меня остается все меньше, и каждую ночь я вижу во сне Андрюшу и Леночку, твоих папу и маму. Они такие молодые и красивые, и Андрюша очень похож на тебя. Они зовут меня к себе, и каждую ночь я подхожу к ним все ближе, а тебя рядом с ними нет, поэтому я и не верю, что ты погиб.

Внучек мой единственный, прости меня, если я тебя не дождусь и уйду к Андрюше и Леночке. Но даже если так случится, пусть с тобой останется моя любовь, золотой мой внучек, и мое благословение. Обнимаю тебя крепко и целую, где бы ты ни был, деточка моя ненаглядная.

Твоя бабушка».

Олег читал письмо у столовой, лицо у него было каменное, и только руки тряслись все сильней и сильней. Подошедший взводный положил руку Званцеву на плечо и присел рядом. Вот тут Олега вдруг прорвало, и он заплакал, уткнувшись старлею в пропыленное плечо. Слезы, прорвавшиеся сквозь ледяную кору, сковавшую душу Званцева в Афганистане, вдруг вернули ему что-то из ушедшего навсегда прошлого.

Взводный обнял Олега и дрогнувшим голосом сказал:

— Ну ты что, Адвокат?! Давай, не психуй! Молодые могут увидеть! Слышь, бача, все путем, все ништяк... Для тебя война кончилась. Приедешь домой, обнимешь свою бабушку...

Званцев вытер глаза и достал пачку «Примы». Закурил, сплюнул крошки табака и сказал глухо:

— Не обниму уже... Умерла она... Дней пять назад.

Взводный глянул на Олега без удивления. В Афгане часто люди могли вдруг почувствовать смерть — и свою, и чужую, потому что война — пограничная зона между страной живых и страной мертвых.

Они молча покурили, а потом взводный сказал:

— Документы твои на дембель уже готовы. Получай с утра в штабе и давай в Кабул, у мотострелков колонна пойдет... Письма не забудь собрать... Будь, браток...

Взводный встал, вынул из кармана десятку и сунул ее Званцеву в нагрудный карман гимнастерки.

— На дорогу, пригодится...

Братва по-быстрому собрала Олегу шмоток и «пайсы» на дорогу, потому что его собственный дембельский набор поделили между собой дембеля из призыва Олега, ушедшие в Кабул за неделю до его возвращения. Подарили Званцеву джинсовую рубашку, джинсы, кроссовки и «дипломат» за пятьдесят пять чеков, купленные в «чипке»*. На этот «дипломат» прилепили неизвестно где взятую круглую наклейку со шпилем Адмиралтейства, увидев которую, Олег снова чуть не прослезился, потому что, вспоминая Ленинград, он представлял себе именно Адмиралтейство, золоченый шпиль, видимый через весь Невский с площади Восстания...

Наклейка эта принесла Олегу большую удачу, став волшебным ковром-самолетом, перенесшим Званцева в Россию с нереальной быстротой: когда он уже летел на Ил-76 из Кабула до ташкентского военного аэродрома Тузель, вышедший в салон из кабины штурман, глянув на «дипломат» Олега, спросил его:

— Ты что, браток, питерский?

Олег кивнул.

— Земляк, значит... А где живешь в Ленинграде?

— На Второй Советской.

— А я с Охты, Шоссе Революции, знаешь?

Они поговорили еще минут пять, и штурман ушел. После посадки в Тузеле

---

* Чипок — солдатский магазин (*жарг.*).

штурман подскочил на бетонке к Званцеву и схватил его за рукав.

Земляк, через три часа борт на Кубинку пойдет, там тоже один питерский, я тебя туда устроить могу. Через день домой доберешься... А в Ташкенте неизвестно сколько просидеть можешь, спекулянты все билеты поскупали...

Вот так и оказался уволенный в запас младший сержант Олег Званцев в начале ноября 1984 года в Москве.

Билетов на Ленинградском вокзале, конечно, не было, а о том, чтобы купить их у спекулянтов, не могло быть и речи — денег у Олега было просто курам на смех... Оставался один только выход — попытаться договориться с проводниками перед отходом поезда. Времени до вечера было еще полно, и Званцев отправился гулять по Москве. Большой город ошеломил его после двухлетнего перерыва, и даже привыкший к многодневным переходам под палящим солнцем Олег быстро почувствовал усталость. И голод. Очень хотелось есть. Оглядывая с головы до ног встречных девушек (задерживаясь, естественно, на ножках), Олег неторопливо шел по улице Горького, ища какой-нибудь лоток с пирожками. Московские женщины, уже надевшие осенние сапоги на высоких каблуках, очень возбуждали. У ресторана «Арагви» продавали заветные пирожки. Толстая баба-лоточница в белом фартуке поверх ватника весело крикнула Олегу:

— Давай покупай, солдатик, — дам тебе самых горяченьких и свеженьких!

Олег с голодухи взял сразу семь пирожков и уже запихнул первый почти целиком в рот, когда услышал вдруг за спиной удивительно знакомый женский голос:

— Простите, вас не Олегом зовут?

Олег повернулся и чуть не выронил пирожки из рук. Перед ним стояла Катя.

Она изменилась. Последний раз Олег ее видел обычной студенткой — очень красивой, да, но, что называется, «своей девчонкой». Сейчас перед Олегом стояла красивая молодая женщина, богато одетая, уверенная в себе. Эту внутреннюю уверенность не могло разрушить даже появившееся в ее глазах смятение от неожиданной встречи.

— Олег?.. Ты... что здесь делаешь?

Званцев с трудом сглотнул застрявший комом в горле пирожок и перевел дыхание.

— Да вот, пирожки ем...

Он со смешной трогательной растерянностью развел руками — словно маленький ребенок, пойманный матерью при попытке проникнуть в буфет за конфетами.

— Пирожки?! — У Катерины вдруг затряслись губы, как будто она собиралась заплакать, но вместо рыданий у нее вырвался сначала один смешок, потом другой, а потом она стала просто покатываться от смеха.

Олег сначала смотрел на Катю угрюмо, но потом в лице его что-то дрогнуло, он неуверенно хохотнул, словно каркнул, пожал плечами, будто удивляясь самому себе, — и начал хохотать громче и громче. Смех его, похожий сначала на скрежет давно не смазываемого и не заводимого проржавевшего механизма, постепенно становился звонким и молодым.

Вот так они стояли и хохотали, и смотрели друг на друга, и не могли оторвать взглядов. Прохожие с удивлением оглядывали эту странную хохочущую пару: шикарная женщина в таком дорогом «прикиде», что не часто можно увидеть на улице, пусть это и улица Горького в Москве, и загорелый не по сезону солдат в выгоревшем голубом берете и зеленом бушлате — форме непонятного покроя.

Постепенно успокаиваясь, Катя взяла Олега за руку и, задыхаясь, спросила:

— Что это за форма на тебе? Откуда ты?

Олег пожал плечами и хмыкнул:

— Откуда?.. Из-за речки...

— Из-за какой речки? — не поняла Катя.

— Из Афгана...

— Ты... Ты был в Афганистане?!

Олег кивнул, не зная, куда деть пирожки, которые он, пока хохотал, стиснул так, что из некоторых выдавился фарш.

— Та-ак! А ну-ка, пойдем со мной! — не терпящим возражения голосом скомандовала Катерина и направилась ко входу в «Арагви».

Олег пытался слабо отказаться:

— Да меня же не пустят, в форме я...

Но Катерина только усмехнулась в ответ, решительно постучала в дверь, что-то шепнула недовольному швейцару на ухо и, взяв Олега за руку, повлекла его в глубь ресторана.

Они просидели за столом не один час, расспрашивая друг друга и не успевая отвечать.

Олег почти не пил, потому что после желтухи врачи ему строго запретили это делать, однако и полбокала шампанского хватило, чтобы у него зашумело в голове.

— Все, никуда я тебя сегодня не отпущу, — сказала Катерина, вставая из-за стола. — Вадим в отъезде, будет только через три дня, поедем ко мне, мы еще даже не поговорили...

Пока ехали в такси, Званцев думал, что у него остановится сердце. Катя щебетала о чем-то, но он ее не слышал, пытаясь сдержать нарастающее возбуждение.

Катерина между тем ни о чем «таком» вовсе не думала. По крайней мере впрямую. Может быть, подсознательно что-то где-то и «замыкало», но... Какие только фокусы не выкидывает наше подсознание... Когда Олег вышел из душа, закутанный в полотенце, на Кате был яркий шелковый халат с драконами. Она накрывала стол. Обернувшись к Олегу, заметила татуировку на предплечье и с любопытством дотронулась до нее пальцами.

— Что это? Этого раньше не...

Договорить она уже не смогла. Олег, закрыв ей рот губами, с чудовищной силой, так, что хрустнули косточки, прижал Катерину к себе. Она замычала, забилась, пытаясь упереться руками Олегу в грудь, но он не обращал на ее сопротивление никакого внимания, гладя под халатом своей грубой ладонью ее постепенно твердевшие соски...

Когда он оторвался наконец от ее губ, она уже задыхалась, и ее вскрик: «Олежка, ты что, не надо!» — получился слабым и неубедительным.

Званцев быстрым движением завернул подол халата, рванул тонкую ткань трусиков и развернул Катерину к себе спиной, одновременно чуть наклоняя ее вперед. Она и охнуть не успела, когда он уже вошел в нее, вернее, ахнула она как раз после этого, а потом начала постанывать, обмякнув на левой руке Олега, которой он придерживал ее за грудь...

Олег кончил через мгновение после нее, кончил прямо внутрь, и Катерина возмущенно простонала:

— Ты что же делаешь... Мне же... а-а... нельзя сегодня-а-а... Ой, мамочка-а-а!

И она вдруг содрогнулась в еще одном оргазме и, противореча своему словесному упреку, схватила Олега руками за бедра, втискивая его в глубь себя...

Позже оба с трудом могли вспомнить, что происходило во время нахлынувшего на них безумия: Катерина плачет, упрекает Званцева, а он, утешая ее, невнятно бормочет, и вот уже неожиданно, с провалом соединительного звена в цепи событий, Катя глубоко берет в рот его плоть и снова стонет, но уже от удовольствия, потом рыдания сотрясают Олега, он говорит про погибших друзей, про смерть, страх и ненависть, иссушившие его душу, на которую сейчас ее слезы падали спасительным дождем, а Катя его утешает, целует и снова рыдает у него на груди...

И оба молчат о Сергее, хоть и хочется им друг друга спросить: «А что с Челищевым?» Но оба молчат...

А потом безумие яви перешло в спокойствие сна... Утром Катя тихонечко встала с кровати и пошла на кухню готовить завтрак. Шепотом она ругала себя последними словами. Катерина не могла понять того, что с ней происходило — тело сладко ныло, а на душе было муторно. Жалость к Олегу перемешивалась с чувством вины.

В кухню вошел заспанный и умиротворенный Олег, стал говорить какую-то ерунду про возвращение в Петербург вместе.

Катя словно обдала его ушатом ледяной воды:

— А может быть, ты — в Москву? Вадим мог бы помочь тебе устроиться на неплохую должность, если ты не собираешься продолжать учиться. Можешь быстро поправить свои дела. Я слышала, что им в министерстве как раз нужен хороший, проверенный водитель.

Олег непонимающе мотнул головой и хрипло спросил:

— Какой водитель? Кто такой Вадим?

Катерина, не отвечая, закурила длинную «More». Затянувшись и выпустив облачко дыма, сощурилась и спокойно объяснила:

— Олежка, Вадим — это мой муж. Мы, похоже, немного забыли о нем. А он есть и будет. То, что было, — это просто накатило на меня. Забудь!

Сказала, словно отрубила. Долго сидели молча — Катя с длинной изогнутой «More» в отставленной руке, Олег с мятой «Примой». Гася окурок о край раковины, Званцев зло усмехнулся:

— Накатило, значит... Есть и будет... Из жалости, значит, на бедность подкинуть изволили... И даже в холуи взять готовы?!

Резко вскочив, так, что упала изящная табуретка, Олег рванулся в комнату, схватил в охапку свою форму. Катя подалась было за ним, но потом бессильно опустилась на табуретку и спрятала лицо в ладонях. Оделся Званцев мгновенно. Проходя мимо кухни, Олег задержался, хотел поймать Катин взгляд, чтобы бросить ей в лицо что-нибудь презрительное, грязножесткое, но в сгорбившейся за кухонным столом фигуре было столько отчаяния и боли, что Олег, открыв было рот, осекся. Он никогда не любил бить лежачих. Постояв немного молча, Званцев негромко сказал:

— Ладно, Катюха... Как устроюсь — позвоню, номер я списал. На меня зла не держи, может, я действительно не так что понял... Лихом не поминай! В общем, пока... — Тяжело оторвавшись от дверного косяка, Званцев подобрал свой вещмешок и дешевенький «дипломат» и медленно, словно к ногам его были прикованы гири, побрел прочь. Закрывая тяжелую входную дверь, Олег услышал, как на кухне зарыдала Катя. Он помедлил еще немного, словно колебался, не вернуться ли... Но потом тряхнул головой и захлопнул дверь. Он не знал, что в следующий раз увидит Катю лишь через четыре года.

До Ленинграда Званцев добрался дневным поездом, уболтав проводника пустого на две трети сидячего вагона. В Питере уже был глубокий вечер. Постояв немного на площади Восстания, посмотрев через Невский на подсвеченный шпиль Адмиралтейства, Олег закурил и пешком пошел на Вторую Советскую. Он шел тяжелыми шагами и не торопился, потому что думал, что дома его никто не ждет. Олег ошибался. Подходя к дому, он увидел свет в окнах своей квартиры. Лоб Олега покрылся холодной испариной, он рванулся вперед и, грохоча сапогами, мгновенно взлетел вверх по лестнице. Руки у него тряслись, пока он доставал ключи. Пытаясь найти привычную замочную скважину, Олег вдруг замер. Что-то было не так. Дверь была новая, с дорогой обивкой и незнакомыми замками. Рукавом бушлата Званцев вытер пот со лба. Несколько раз глубоко вздохнув и выдохнув, Олег нажал на кнопку звонка. Звонок тоже был новым, вместо старого, знакомого с детства дребезжания он услышал какие-то соловьиные трели.

Дверь долго не открывалась, но вот, наконец, послышалось шарканье шлепанцев в прихожей, и незнакомый недовольный голос спросил через дверь:

— Кто там еще?

Олег смутился, потерялся и неожиданно даже как-то робко и неуверенно сказал:

— К Званцевым...

Дверь приоткрылась через цепочку. В образовавшуюся щель Олег увидел лысоватого пузатого дядю-хомячка с бульдожьими брылями щек и аккуратным наливным животиком, выпиравшим из спортивного костюма «Сборная СССР».

Окинув Званцева презрительно-недовольным взглядом, пузан буркнул:

— Они тут не живут больше... Старуха померла недели три назад, я даже деньги на похороны давал, договаривался, чтобы в крематорий ее без очереди устроить... А сын ее еще раньше в Афганистане погиб...

Сказав, толстяк счел проблему исчерпанной и хотел было закрыть дверь, но сапог Олега не дал ему это сделать:

— Стой!.. Не сын, а внук, внук, понимаешь?! Это я, живой, понимаешь, не погиб я!..

Отшатнувшись было в испуге, человек-бульдог, убедившись в том, что цепочка надежно закреплена, вновь приблизился к щели:

— Иди отсюда, солдат! Иди по-хорошему... Званцевы все умерли! И документы есть! А если тебе переночевать негде, приехал, понимаешь, к сослуживцу — это еще не причина в дверь ломиться... Утром иди в паспортный стол и разбирайся там, если интересно. А здесь не бузи! А то милицию вызову! Давай, давай, солдат, иди отсюда! У меня семья спит...

Воспользовавшись оторопью Олега, бульдог-хомяк выпихнул его сапог наружу и захлопнул дверь. Званцев какое-то время оцепенело смотрел на черную кожу обивки и слушал щелканье многочисленных замков. Потом он беспомощно покрутил головой, потоптался на лестничной площадке и, присев на ступеньки, спрятал лицо в ладони. Раскачиваясь, он тихонечко жалобно заскулил, словно маленький щенок, проглотивший живую осу, ужалившую его...

Раздавленный и сгорбленный, Званцев вышел из подъезда и закурил. Надо было как-то устраиваться на ночлег. Порывшись в карманах, он нашел «двушку» и направился к стоявшей недалеко от подъезда телефонной будке. Не хотел он вот так сразу звонить Сергею. По разным причинам — и из-за Афгана, и из-за того, что случилось в Москве между ним и Катей... Но выхода не было. Телефон, как ни странно, работал. Хрипло сглотнув монетку, он соединил Олега с квартирой Челищевых. Трубку взяла Марина Ильинична:

— Алло?

— Здравствуйте. Сергея можно?..

— Сережи нет дома, он будет позже. Перезвоните минут через сорок, я думаю, он будет. — Мама Сергея, похоже, не узнала Олега по голосу и равнодушно повесила трубку.

Олег пошел к дому напротив. Недалеко от подъезда Сергея в кустах стояла их секретная лавочка. На ней и расположился Званцев, решивший дождаться Сергея на улице. На небе вызвездило, холодный ветер выл в подворотнях и скрежетал в мерзлых обледеневших кустах.

Из подворотни вывалилась компания подвыпивших парней и девчонок. Все хохотали, что-то кричали и передавали друг другу бутылки с портвейном. Не доходя немного до кустов, укрывавших скамейку, компания остановилась и решила спеть хором:

> Мы в такие шагали дали,
> Что не очень-то и дойдешь,
> Мы годами в засаде ждали,
> Невзирая на снег и дождь.
>
> Мы в воде ледяной не плачем
> И в огне почти не горим,
> Мы — охотники за удачей,
> Птицей цвета ультрамарин.

Званцев, скорчившийся от холода на скамеечке, узнал в пьяноватой компании своих однокурсников — Сергея, Андрея Румянцева, Наташу Найчук и еще человек пять девушек и парней.

...Оглянешься, она обманет,
Вот уже навсегда ушла,
И только небо тебя поманит
Синим взмахом ее крыла!

Последнюю строчку компания выкрикивала с рычанием «под Высоцкого» раз пять.

Потом кто-то крикнул «ура!», и все стали обниматься и целоваться.

— Стоп, стоп, стоп! — Олег узнал голос Челищева. — Что мы, как неприкаянные, толчемся посреди двора... Тут у меня секретная лавочка есть, сядем сейчас, попьем, попоем...

Компания стала обходить кусты. Сергей, обнимая Наташу за талию, шел впереди. Качавшийся невдалеке фонарь тусклым светом освещал всю компанию.

Увидев, что на лавочке кто-то сидит, компания остановилась, не дойдя до нее нескольких шагов.

— Ну во-от! — насмешливо протянул кто-то. — Куда ты денешься от защитников Отечества...

— Слышь, командир! — Челищев пьяно улыбнулся. — У нас тут праздник, мою помолвку обмываем... «Идем, идем — тут ты сидишь»... (Сергей спародировал Высоцкого, и девчонки хихикнули). Ты бы нашел себе другую лавочку, а, командир?!

Густая черная тень лежала на лице молча вставшего солдата. Взяв в руки «дипломат» и вещмешок, Олег отвернулся и пошел прочь вдоль дома. Сзади кто-то затянул нарочито плаксиво:

— «Я ухожу, — сказал парнишка ей сквозь грусть...»

Званцев дернулся, словно натолкнулся на что-то, и, ускорив шаги, скрылся в темноте проходного двора...

Что-то знакомое померещилось Челищеву в походке уходившего солдата. И он ударил ладонью по руке гитариста.

— Прекрати!

Андрей Румянцев, а играл на гитаре именно он, недоуменно пожал плечами:

— Не хочете! Как хочете!

Он грянул «От зари до зари», немедленно подхваченную всей компанией.

Сергей обернулся еще раз, но солдата во дворе уже не было, и через мгновение Челищев забыл о нем.

Олег шел куда глаза глядят. Постепенно спина его выпрямлялась, а лицо твердело. Шаги стали уверенными и быстрыми. Званцев торопился к метро, чтобы успеть к последней электричке, идущей с Витебского вокзала. Он ехал к сослуживцу, сержанту Григорию Быкову, заслужившему своей невероятной холодной жестокостью в Афгане кличку Басмач. Басмач демобилизовался на полгода раньше Званцева. Перед отъездом он оставил адрес Олегу, сказав: «Чую, встретимся, бача, и не только чтобы хань* сделать...» Званцев кивнул, чтобы не обидеть, но в душе был уверен, что никакого желания встречаться с Быковым в Союзе у него не возникнет... Вышло иначе.

Быков-Басмач встретил его как положено — обнял, не спрашивая, почему Званцев не дома — в первый-то вечер, повел сразу умыться и есть. Потом, после ужина, когда сели пыхнуть плана**, в избытке оказавшегося у Быкова, Олег сам ему все рассказал. Почти все. Не рассказал ничего только о Москве и о Кате...

Докурив косяк***, Басмач хлопнул Олега по плечу:

— Не горюй, Адвокат... Прорвемся. У всех так или почти так, как у тебя. Мы тут на хуй никому не нужны, мы платили интернациональные долги Союза, а нам тут никто оказался не должен. Нам долги платить не хотят... Но когда долги не платят — их получают. Есть нормальные люди. Я тебя с ними сведу. Но это потом.

А сейчас — отдыхай, бача... Путь у тебя был дальний.

Званцев так и остался жить у Быкова. Через неделю хождений по кабинетам военкомата и паспортного стола Олег получил гражданские документы. По поводу квартиры ему объяснили, что переиграть уже ничего нельзя, но комнату в общежитии он может получить — после устройства на работу...

С работой помог все тот же Басмач. Через десять дней после возвращения Олега Быков пригласил его познакомиться с одним «хорошим человеком». Хорошим человеком оказался некто Виктор Палыч, которого за глаза называли странной кличкой Антибиотик. Виктор Палыч устроил Званцева числиться грузчиком в мебельном магазине. Настоящая работа заключалась в другом — быть рядом, «если что»...

Через два года, когда вовсю уже гулял по России карнавал перестройки, вокруг Басмача и Олега, который имя свое слышал гораздо реже клички Адвокат, сложился костяк будущей организации — семь человек, прошедших в разное время Афганистан, умных и жестоких. Эти семеро, правда, уже не имели прямого доступа к Антибиотику, который парил где-то в недостижимой высоте, становясь круче и богаче с каждым месяцем.

В начале 1987 года Басмач вдруг куда-то исчез. Виктор Палыч сказал Олегу, что он уехал в срочную поездку за рубеж, естественно, секретную. Олег не удивился этому известию. Он вообще в последнее время разучился радоваться чему-то или удивляться. Он снова «замерз», и взгляд его зеленых глаз, казалось, излучал на того, на кого он смотрел, лишь страшный неземной холод. Группа афганцев росла, они занимались в основном рэкетом кооператоров («барыг и воров, жравших в три горла и воровавших, пока мы воевали»). В питерском криминальном мире постепенно зажигалась новая звезда — звезда умного, холодного и жестокого лидера — Адвоката.

...Олег тряхнул головой и поморщился, словно от головной боли. Сергею хотелось пинать и колотить в дверь «стакана».

— Почему?! Почему ты не появился?!

Он кричал шепотом, оглядываясь на дежурку, а Званцев читал слова по губам, отвечая в полный голос.

— Я появился... Мы с тобой однажды виделись... Только ты меня не узнал.

Челищев замотал головой, ничего не понимая, и вдруг замер, пораженный.

— Виделись? О чем ты?.. Ноябрьский солдат?! Тогда, в восемьдесят четвертом, во дворе?! Это был ты?!

Олег оборвал его нетерпеливым жестом:

— Подожди, Сережа, сейчас не до этого. Нам... Мне нужна помощь... Запомни номер телефона... Позвони сегодня, там все объяснят... Только обязательно позвони. Серый... А теперь уходи!

Вышедшая из дежурки контролерша подозрительно зыркнула на Челищева и что-то недовольно забурчала. Сергей состроил «морду ящиком» и привалился лбом к холодному металлу двери «стакана».

— Со вчерашнего, что ли, маешься? — интонация контролерши трансформировалась в сочувственную.

— Угу. В полное говно нажрались, — больным голосом ответил Сергей.

— А что делать, жизнь такая сраная, — охотно поддержала тему контролерша. Похоже, она сама недавно только «подлечилась» после вчерашнего и сочувствовала Челищеву, как коллеге.

Сергей промаялся целый вечер, бродя вокруг телефона и не решаясь набрать названный Олегом номер. Челищев вспоминал детство, первые два курса юрфака. Конечно, вспоминал он и Катерину. Что с ней стало, где она сейчас? Челищев не видел ее больше десяти лет.

Но что же случилось с Олегом? Челищев все-таки был профессиональным следователем, и внешний вид его воскресшего друга не мог не вызвать у Сергея вопросов. Одет Олег был достаточно дорого, плюс стрижка, плюс какая-то непередаваемая манера держаться, ходить... Все это очень напоминало современных бандитов, которых Сергей перевидал достаточно.

Что же случилось? Выяснить это было можно, только позвонив по названному Олегом номеру телефона. Но Сергей инстинктивно чувствовал какую-то тревогу, опасность, связанную с неизбежным звонком. Неизбежным. Все-таки неизбежным! Перед тем, как набрать номер, Челищев позвонил одному своему знакомому оперу в Василеостровском РУВД и попросил пробить* адрес по номеру телефона.

Телефон, оказалось, установлен на квартире некоей Алевтины Николаевны Ереминой, восьмидесятилетней пенсионерки.

---

* Пробить — узнать, выяснить (*жарг.*).

Наконец Сергей набрал сказанные Олегом цифры. После трех гудков на другом конце провода сработал автоответчик. Бесцветный голос механически произнес:

— Здравствуйте, пожалуйста, назовите себя и свой номер телефона, чтобы вам можно было перезвонить.

Чуть помедлив после короткого сигнала, Челищев назвал свое имя и фамилию и продиктовал номер телефона...

Ему перезвонили минут через двадцать, когда Сергей докуривал третью сигарету. Звонивший не представился, но, судя по манере говорить, он не принадлежал к категории рафинированных интеллигентов.

— Алло, ты Челищев? Сквер за Инженерным замком знаешь? Где памятник стоит? Будь там завтра к двум часам...

Прежде чем Сергей успел сказать хоть слово, в трубке раздались гудки отбоя.

Ночь измучила Челищева кошмарами сна и неуходящим предчувствием опасности наяву. Ему снова снился котлован, снилась Катя, солдат с черной тенью на лице, сидевший на лавке у его подъезда в день помолвки с Натальей, снилась и Наталья. Плача, она собирала в чемодан его вещи, как будто Челищев уезжал в какую-то дальнюю командировку. Тени прошлого окружали Сергея...

К Инженерному замку он пришел за час до назначенного времени и тщательно изучил все подходы к месту стрелки*. Выбрано оно было грамотно — все подходы просматривались, незаметно появиться с любой стороны было практически невозможно. Сергей подумал, что это место было бы почти идеальным для встречи с агентами. Для тех, кому положено их иметь, конечно.

В 14.05 мимо скамеечки, на которой сидел Сергей, прошла старушка. Словно забыв что-то, она вдруг вернулась и, осмотрев Челищева, сказала:

— Ты, стало быть, Сережа? Иди на Фонтанку, к городскому суду. Там твои друзья сидят в голубой «четверке». Иди, сынок, они сюда подъехать не могут...

Матерясь в душе на всю эту конспирацию, Челищев пошел к Летнему саду, чтобы по мостику через Фонтанку выскочить на другую сторону реки. Он не «проверялся», поэтому не видел, как за его передвижениями наблюдали два угрюмых парня в неприметной одежде, находившиеся мет-

* Стрелка — встреча (*жарг.*). Забить стрелку — назначить встречу (*жарг.*).

рах в двадцати пяти друг от друга. Тот, который выглядел чуть старше, глянул на второго, вопросительно вскинув подбородок. Младший медленно покачал головой, старший кивнул удовлетворенно, и они разошлись в разные стороны. Напротив входа в здание городского суда действительно стояла голубая «четверка» с заведенным двигателем, почти неслышно работавшим на холостом ходу. Сергей открыл правую переднюю дверь и заглянул в машину.

В ней сидели два быка. Пожалуй, говоря о них, другого слова не подобрать. Кожаные куртки распирались накачанным мясом, стриженые затылки заставляли вспоминать поговорку: «Сила есть, ума не надо».

— Меня зовут Сергей, — сказал Челищев, обращаясь к тому, кто сидел за рулем. Детина заворочался и открыл левую заднюю дверь.

— Садись, поехали...

Ни тебе «здравствуйте», ни вообще какого бы то ни было выраженного интереса. Тот, что сидел рядом с водителем, деловито жрал мороженое — сахарную трубочку, откусывая от нее огромные куски. Еще две сахарные трубочки были зажаты у него в левой руке. Устраиваясь на заднем

сиденье, Сергей спросил любителя мороженого:

— Горло не заболит?

Тот на мгновение оторвался от своего
занятия и повернулся к Челищеву, недоуменно приподняв плечи:

— Это же протеин!..

«Четверка» рванула с места.

Они кружили по центру Петербурга, и
минут через двадцать Челищев понял, что
«быки» проверяют, нет ли за «четверкой»
хвоста.

— В шпионов играть не надоело
еще?! — раздраженно бросил Сергей.
Вопрос повис в деланно равнодушном
молчании, прерываемом лишь методич-
ным чавканьем пожирателя мороженого.
Когда он засунул в пасть остатки последней трубочки, машина, словно повинуясь
непроизнесенному приказу, взяла курс
на Петроградскую сторону. На середине
Кировского проспекта «четверка» при-
тормозила и, мягко свернув, ушла под ар-
ку дома в проходной двор. Началась карусель по дворам, сменявших друг друга,
словно в калейдоскопе.

Наконец у какого-то подъезда сидевший за рулем мордоворот резко нажал
на тормоза, так что Челищева резко бро-
сило на спинку переднего сиденья.

— Третий этаж, квартира пятнадцать, — равнодушно сказал кому-то любитель мороженого. Челищев с трудом догадался, что информация предназначена ему. Сказав вместо «до свидания» короткое слово «блядь», Сергей вылез из автомобиля, от души шваркнув дверью на прощание. «Быки» от удара дверцы дернулись, но выдержку и внешнюю невозмутимость сохранили. Когда Сергей поднялся на площадку между вторым и третьим этажами и выглянул из лестничного окна во двор, машина все еще стояла у подъезда и, похоже, никуда уезжать не собиралась.

Сергей присел на подоконник и закурил. Что-то держало его, не давало легко проскочить на третий этаж. Странное что-то творилось в душе Сергея. Это не было страхом в прямом смысле этого слова. Скорее, Челищеву казалось, что он стоит на пороге чего-то важного, чего-то, что может перевернуть всю его жизнь. Он не колебался, подниматься ему наверх или развернуться и пойти вниз, — просто Сергей «собирался» перед броском. От докуренной почти до самого фильтра сигареты Челищев прикурил новую, когда на площадке третьего этажа вдруг лязгнул дверной замок. Сергей вздрогнул.

Ближайшая к нему справа дверь медленно открылась, и в лестничном полумраке появилась стройная женская фигура, цокнув по каменному полу высокими каблуками.

— Ну, и долго ты там курить собираешься?

Сигарета выпала из руки Челищева, а сам он кулем свалился с подоконника, скинутый с него бешеными ударами сердца. «Да что же это творится-то, Господи!» — едва не заорал вслух Сергей, потому что на него сверху вниз смотрела Катя Шмелева, та самая, которую он больше десяти лет напрасно пытался вычеркнуть из своей памяти; та самая, из-за которой, в конечном итоге, не заладилась у Челищева жизнь с Натальей, потому что он сравнивал их мысленно все время; та самая, увидеть которую он уже не рассчитывал никогда...

— Катя...

Он не помнил, как оказался в квартире, как Катерина закрывала дверь. Вновь адекватно воспринимать действительность Челищев начал, сидя рядом с Катериной на диване в огромной комнате с высоким потолком. Он держал ее за руку и, как заведенный, повторял, сглатывая комок в горле:

— Катя...

Тряхнув головой, Сергей попытался сконцентрироваться и задал естественный вопрос:

— Почему ты здесь?

Катя встала и отошла к серванту. Челищев узнал ее по голосу сразу, но внешне она очень изменилась. Симпатичная девчонка стала очень красивой, стильной, уверенной женщиной, внутренняя сила которой ощущалась почти физически.

— Чай, кофе? — С прошлых лет у нее осталась манера, задавая вопрос, чуть склонять голову к правому плечу. — Может быть, с коньяком?

— Можно и с коньяком. — Челищев окончательно пришел в себя и, доставая пачку «Родопи», сказал с нажимом:

— Меня сюда прислал Олег...

Катя кивнула, достала из бара две пачки сигарет: «More» и «Кэмел». «Кэмел» она деликатно, словно невзначай, положила на стол перед Сергеем, а себе достала длинную коричневую «More».

Выдохнув первое облачко дыма и прислонившись бедром к серванту, она негромко сказала:

— Олег мой муж.

Три негромко произнесенных слова стали очередным нокдауном для Сергея.

Впрочем, он понемногу начинал привыкать держать удары новостей.

— Муж, значит... И давно вы?..

— Четыре года...

Катерина смотрела на Челищева как-то странно, казалось, еще вот чуть-чуть — и она заплачет... Или засмеется... Терялся Сергей под ее взглядом, словно завороженный, с трудом собирал предложения из осколков мыслей, которые с сумасшедшей скоростью налетали одна на другую.

— Четыре года?! Здесь?! А что же мне-то даже не сказали ничего... Четыре года... Друзья называется...

И так это обиженно, по-детски вырвалось у Челищева, что Катерина резко отвернулась, не давая ему увидеть свои влажно заблестевшие глаза, и ушла на кухню делать кофе... Сергей посидел немного, тупо глядя в стенку, потом, игнорируя лежавший на столе «Кэмел», достал свою «родопину», прикурил и пошел за Катей на кухню.

— Может быть, ты мне все-таки хоть что-нибудь расскажешь и объяснишь? — спросил Челищев с нарастающим, нет, не раздражением, скорее, с нажимом.

Катерина обернулась к нему, сморщилась от запаха дыма его сигареты, помахала рукой и в обычной своей манере ответила вопросом на вопрос:

— А почему ты не стал курить «Кэмел»?

— К хорошему привыкать не хочу, — нетерпеливо ответил Сергей. Катя молчала.

— Катя, я жду... Расскажи, что случилось... С Олегом, с тобой... Я тебя больше десяти лет не видел, ничего о тебе не знал. Как ты вышла замуж — так и все... Олег из-за тебя с факультета ушел... Где вы встретились? Что вы оба, в конце концов, строите из себя неизвестно что, тайны тут какие-то разводите!..

Катерина прижалась к раковине и словно съежилась под напором тяжелых слов Сергея. Глубоко затянувшись сигаретой, она тихо заговорила:

— Дело не в тайнах... Хотя и в них тоже... Просто прошло столько лет, столько всего случилось... А у нас так мало времени, и я не знаю, как тебе все рассказать... Столько всего было — вспоминать боюсь, все равно вспоминаю, а потом хожу сама не своя...

Катина сигарета догорела до фильтра, и она, глядя на носки своих туфель, надолго замолчала...

Крутые перемены в жизни Кати Шмелевой, студентки второго курса юридического факультета Ленинградского университета, начались весной 1982 года. Она предчувствовала наступление этих перемен, ждала их и боялась. Катя томилась. Ее начинало тяготить затянувшееся, как ей казалось, девичество, и она злилась на Олега и Сергея, которые, отпугнув от нее всех ухажеров, сами не предпринимали никаких решительных шагов. Сама она не могла до конца разобраться в своих чувствах, ей нравились посвоему оба парня, но она не могла даже подумать о том, чтобы первой оказать кому-то из них особые знаки внимания. К Олегу ее больше влекло чисто физически, и он, пожалуй, чаще выступал героем ее ночных фантазий. Ее отношение к Челищеву было более сложным, непонятным ей самой. Катя чувствовала к Сергею какую-то пугающую ее нежность, чуть ли не материнскую гордость за его ум, способности и не раскрывшийся еще внутренний потенциал. С Олегом ей было проще, потому что свою власть над ним она чувствовала абсолютно, с Сергеем было сложнее, он плохо прогнозировался и мог как-то выскользать из поля ее внимания.

Дошедшая уже чуть ли не до настоящего отчаяния от своих сомнений и безынициативности друзей, Катерина подсознательно желала хоть какого-нибудь, но разрешения создавшейся «патовой» ситуации.

Однажды она возвращалась домой из библиотеки, где почти до самого закрытия честно конспектировала из разных источников материал для своей курсовой. Была середина апреля, и вечера перестали быть темными и страшными. На Невском Катя вышла из троллейбуса и решила прогуляться до дома пешком. На углу Невского и Восстания к ней прицепились два молодых азербайджанца. Катерина сначала не обратила на них особого внимания, подумав, что они сами отстанут, но азербайджанцы не отставали, и когда Катя отошла от Невского на три квартала, они вдруг стали хватать ее за руки, щупать грудь через тонкое пальто. Катерина пыталась закричать, позвать на помощь, но прохожих было мало, а те, что были, отворачивались и делали вид, что их не касается скандал, разыгравшийся, скорее всего, между девицей легкого поведения и ее южными дружками.

— Так, стоп! Что за дела? Девушка, вам помочь?

Непонятно откуда вдруг появился высокий мужчина в черном кожаном пальто. Лет сорока на вид.

— Да, да! — рванулась было к нему Катя, но азербайджанец, что был повыше, ухватив ее ладонью за лицо, оттолкнул назад и оскалился на незнакомца:

— Тэбэ что надо, а? Иди, наши дэла, да?..

Договорить ему помешал страшный удар ногой в живот, от которого долговязый согнулся пополам и, постояв немного в таком положении, упал лицом в асфальт.

— Вай, би-и-лять! — взвизгнул тот, что был поменьше ростом и потолще, и сунул руку в карман куртки. Достать оттуда маленький ничего не успел, потому что Катин защитник, странно вывернув руку, коротко ткнул его сомкнутыми пальцами в основание носа, а потом, крутанув кисть и сложив пальцы в кулак, продолжил движение предплечья в заросший сизой щетиной и заплывший желтоватым жирком кадык... Все произошло так быстро, что Катя даже не успела испугаться. Да и вообще она не была пугливой девушкой и драку видела не в первый раз — Олег с Сергеем не раз и не два демонстрировали ей свои характеры...

— Спасибо, — торопливо сказала она незнакомцу. — Пойдемте скорее, пока милиция не приехала.

— А чего нам, собственно, милиции бояться? — удивился незнакомец. — Наше дело правое...

Он спокойно стоял рядом с двумя лежавшими телами и улыбался, глядя на Катерину. Та, смутившись и покраснев под его взглядом, отвела глаза и сбивчиво стала объяснять, что торопится домой...

— Ну, в таком случае вы позволите мне проводить вас? А то к вам не дай Бог опять хулиганы пристанут — при вашей внешности это неудивительно...

Катя, окончательно смутившись, наотрез отказалась, сказав, что уже почти дошла до своего дома.

— Ну, тогда хотя бы телефон свой дайте. Я позвоню, узнаю, все ли у вас в порядке. А то — не засну, волноваться буду... Неужели вы хотите наградить меня бессонницей?

«Не дам!» — твердо решила про себя Катя и после недолгой паузы продиктовала свой телефон незнакомцу. Это была типичная женская последовательность...

Спаситель записал семь цифр в изящную записную книжку явно заграничного происхождения и поднял глаза:

— А спрашивать кого?

— Катю...

Она уже повернулась было и хотела уйти, но незнакомец успел сунуть ей в карман глянцевый прямоугольник плотной бумаги. Прочитала визитную карточку Катя уже дома, сидя на кухне и поглядывая на телефон. На визитке строгим черным шрифтом было напечатано: «Гончаров Вадим Петрович, Генеральный директор завода торгового оборудования, член бюро Ленинградского горкома КПСС».

«А вдруг не позвонит, — думала Катерина, глядя на телефон. — Вдруг он обиделся на то, что я вела себя как последняя дура, как школьница...»

Но Вадим Петрович, конечно, позвонил.

Их роман развивался стремительно и красиво. Вадим пригласил Катерину на выставку Ильи Глазунова, на которую было невозможно попасть, а потом познакомил с самим художником. На следующем свидании Вадим предложил Кате персонально для нее устроить экскурсию в золотые кладовые Эрмитажа. Кате казалось, что она видит какой-то сон. Возможности Вадима казались ей сказочно безграничными. Вместе с тем он был галантен, сдержан и не переходил границ приличия, хотя Катя уже подсознательно хотела этого. Их первый поцелуй случился через две недели знакомства, и было непонятно, кто первый вдруг потянулся к желанным губам. А еще через несколько дней Катя впервые побывала в квартире Гончарова и стала женщиной. Она плохо помнила, как все произошло, слишком волновалась и быстро убежала домой, полночи плакала, а наутро проснулась совершенно счастливой и будто освободившейся от чего-то давившего на нее.

На той же неделе Вадим сделал ей предложение. Он говорил ей то, что она хотела слышать, и Катя сказала ему: «Да!» Той ночью она первый раз не пришла ночевать домой, позвонив маме и сказав ей, что выходит замуж... Ночью, обняв Вадима и уже засыпая, Катя вдруг заметила, что в его глазах, обычно сухих и чуть насмешливых, блестят слезы.

— Ты что, Вадик? — с нее мигом слетел весь сон. — Тебе плохо со мной? Ты жалеешь?..

— Нет, нет... — Гончаров провел рукой по глазам. — Нет... Просто, когда три года назад погибли моя жена и сын, я считал, что никогда уже не смогу почувствовать себя счастливым. А смог. Из-за тебя, моя девочка...

Он обнял ее, а Катя догадалась спрятать голову у него на груди, чтобы он не заметил в ее глазах холодную ярость ревности... Это чувство удивило и слегка напугало ее, но инстинктивно Катя догадалась, вернее, смутно ощутила, что Вадим разбудил в ее душе какие-то новые силы.

Она сдала летнюю сессию и объявила Сергею с Олегом, что выходит замуж. Ребята вели себя безобразно, просто как обиженные дети, и Катерина была рада, что их прощальный разговор не затянулся. Рада сквозь слезы, естественно. Конечно, она чувствовала себя виноватой перед ними. Хотя в чем, собственно? В том, что обогнала их в процесее взросления?

Свадьбу сыграли скромную — и не потому, что не было средств. Просто никого из родственников Вадима уже не было в живых, а из близких друзей пришли человек пять. Со стороны Катерины была, конечно, ее мама, Ольга Михайловна, со своим кагэбэшником, пара подружек да бабушка — мать отца. Она специально приехала на свадьбу из Приморско-Ахтарска. Отец Кати давно разошелся с Ольгой Михайловной и практически связей со старой семьей не поддерживал...

В свадебное путешествие Вадим повез Катю в Сочи. Они поселились в гостинице «Жемчужина», и Катя с наслаждением валялась каждый день на «валютном» пляже. Время от времени к ним подходили какие-то жуткие типы с бандитскими физиономиями и, улыбаясь, преподносили огромные корзины с фруктами и вином. Катя пыталась расспрашивать Вадима, что это за люди, но Гончаров лишь усмехался и говорил коротко:

— Это друзья. Или, скорее, друзья друзей... Не обращай на них внимания...

Но Катины наблюдательность и чутье, чрезвычайно обострившиеся в последнее время, подсказывали ей, что Вадим не вполне искренен. Какие же это друзья, если Вадим с ними совсем не разговаривает, а после их ухода подолгу смотрит на море, и глаза у него становятся совсем чужими? Однако фрукты и вина были просто отменны, и Катерина гнала прочь чувство тревоги, говоря себе: «Да мало ли что у мужика на душе... Он старше меня на столько! Столько успел всего...» Так что, в общем и целом, их свадебное путешествие было просто чудесным. Каждый день был праздником, прелюдией к ночи, когда Вадим открывал для нее все новые и новые страницы великой книги любви.

Месяц пролетел незаметно, и они, счастливые, похудевшие от солнца и секса, вернулись в Ленинград, где Вадим узнал о том, что его уже ждут на новой должности в Москве, в министерстве. Все формальности, связанные с переводом Катерины на юрфак Московского университета, решились со все той же сказочной простотой. Кате было жаль расставаться с Ленинградом, но известно, что при расставании уезжающий забирает с собой лишь треть горечи, две трети делят между собой остающиеся... Катя приближалась к двери в новую жизнь, и ей не терпелось поскорее открыть ее.

В Москве Вадиму, конечно, выделили квартиру, но пока в ней шел ремонт, закупалась и перевозилась из Ленинграда обстановка, молодожены поселились в люксе гостиницы «Россия». Катя, никогда раньше не бывавшая в Москве, целыми днями пропадала по магазинам, приобретая для нового дома кучу всяких нужных мелочей, тех, что приносят в жилище уют и неоспоримо свидетельствуют о присутствии хозяйки. В холостяцких квартирах таких мелочей не увидишь. Обычно ее сопровождал в таких походах шофер положенной Вадиму по должности черной «Волги». Но однажды «Волга» что-то забарахлила, и Катя была вынуждена вернуться в гостиницу раньше обычного. Вадима еще не было. Катя быстро набрала номер его секретарши, которая сообщила ей, что Вадим Петрович уже выехал домой. Настроение у Катерины было с самого утра чудесным, ей хотелось озорничать и проказничать. Она решила устроить Вадиму маленький сюрприз — спрятаться в стенном шкафу, как будто она еще и не приходила, а потом неожиданно выскочить оттуда и наброситься на мужа. В шкафу было темно и душно, но Катя упрямо терпела неудобства и, привалившись к боковой стенке и вытянув ноги, не заметила, как задремала. Она проснулась от резкого голоса Вадима:

— Катя?!

Ее сразу насторожила непривычная жесткость в его голосе. Обычно Вадим произносил ее имя нежно, с чуть заметным возбуждающим придыханием. Прислушавшись, Катя поняла, что Вадим пришел в номер не один. Она тихо поднялась на ноги и сквозь щелочку в дверце увидела здоровенного кавказца с недельной щетиной на лице, привалившегося к стене напротив шкафа. Кавказец чуть заметно раскачивался взад-вперед и смотрел куда-то в одну точку остановившимся стеклянным взглядом. Видимо, были и еще какие-то люди, но их Катя видеть не могла. Разговаривали тихо двое — Вадим и кто-то из пришедших. В разговоре последнего явственно слышались южные интонации. Постепенно тональность разговора повышалась, и Катя стала различать целые фразы:

— Ты сладка кушать хочешь, а? Сматри — замэним!

Смысл этой фразы сразу не дошел до Катиного сознания, но инстинктивно она сжалась и замерла. С удивлением она услышала бормотание Вадима, в его обычно сильную, уверенную манеру говорить вплелись нотки растерянности и чуть ли не заискивания... Гончаров торопливо говорил что-то про какого-то Лысого, по чьей вине двадцать четыре миллиона застряли во Владивостоке.

— Дарагой, прашу, нэ нада пра Лысава, а? Пра пакойников плоха нэ гаварят, да... Грэх! В Ленкорани наши друзья савсем нэ понимают — как так плоха работать можно, а? Если чэрэз нэдэлю нэ будит дэнэг — паедишь к Лысому, сам спросишь у нэво, что да как, а мы тыбе в этом паможим...

Кате почудилось, что акцент у говорившего какой-то странный, плавающий, казалось, что при желании он может говорить по-русски вовсе без акцента.

— Гурген! — попытался сказать что-то Вадим, но не видимый Кате собеседник резко бросил какую-то фразу на незнакомом языке. Верзила, подпиравший стенку, качнулся вперед, послышался глухой хлопок и звон разбитого стекла... Затем наступила долгая пауза, во время которой Катя боялась дышать.

— Харашо, дарагой, — снова послышался голос Гургена. — Нэ будим кипятиться. Убери волын*. Мы все на нэрвах, дело-то общее. Я тэбя как брата прашу — реши эти праблемы побыстрее, да?

Интонации пошли на убыль, а потом послышался хруст стекла под подошвами и щелканье замка входной двери. Мимо щелки в шкафу мелькнул Вадим, он был без пиджака, узел галстука был ослаблен. Левым рукавом Вадим вытер пот со лба, а в правой руке... Кате показалось, что в правой руке у него был небольшой черный пистолет, но видела она это всего лишь мельком, долю мгновения. Вадим походил немного взад и вперед, а потом вышел из номера. Выждав несколько ми-

---

* Волын — оружие (пистолет, револьвер, обрез, любой ствол) (жарг.).

146

нут, Катя выбралась из шкафа. Кинескоп цветного телевизора, стоявшего в углу, был разбит, и осколки разлетелись по ковру. Катя метнулась обратно к шкафу, достала оттуда свою сумочку, осторожно выглянула в коридор и, убедившись, что там никого нет, быстро пошла к черному ходу. Она не понимала, что произошло, но инстинктивно чувствовала — Вадим не должен знать, что она была свидетелем странного разговора в номере. По крайней мере, пока...

До вечера она бродила по московским улицам, пытаясь разобраться в обуревавших ее чувствах. Странно, но сцена, случайной свидетельницей которой она стала, не вызвала у нее страха. Катерину душила злость на то, что у Вадима, оказывается, есть какая-то скрытая жизнь, в которую он не хочет ее пускать. Катя была рассержена, а еще больше заинтригована. Ей хотелось заставить Вадима впустить ее в наглухо закрытую пока дверь, за которой наверняка были интереснейшие тайны. Вместе с тем Катерина понимала, что прямыми вопросами она пока вряд ли чего-нибудь сможет добиться.

Вернувшись вечером в гостиницу, она застала Вадима сидящим в кресле и как ни в чем не бывало смотрящим программу «Время». Телевизор был точной копией разбитого. От осколков не осталось и следа.

— Ну, наконец-то, мать, — весело сказал Вадим, вставая из кресла и надевая пиджак. — Все-то ты в трудах и в заботах, наверное, все московские магазины уже перетряхнула, как свой карман. Нет? Ну, пошли ужинать. Я голодный, как Серый Волк из той самой детской сказки. Еще немного — ты бы рискнула стать Красной Шапочкой. Точнее, ее бабушкой. Я бы тебя съел...

Вадим балагурил так весело и беспечно, что на мгновение подслушанная и подсмотренная сцена показалась Катерине привидевшимся сном, фантазией, но случайно переведя взгляд вниз, она увидела на ковре крохотный, видимо, в спешке не замеченный осколок стекла.

Дни летели с головокружительной быстротой, и внешне все было как и раньше, но теперь Катерина внимательно приглядывалась ко всем новым знакомым и сослуживцам Вадима, прислушивалась к его вроде бы ничего не значащим телефонным разговорам, и в ней крепла уверенность — Вадим что-то скрывает от нее. Что-то очень важное, постоянно занимающее его мысли и чувства.

В конце сентября чету Гончаровых пригласили на неофициальный коктейль на даче какого-то крупного чина из МИДа. Это был первый выход Катерины в московский свет, и она, конечно, тщательно к нему готовилась. Вадим, увидев Катерину в вечернем платье, только присвистнул:

— Да, родная, тебя, пожалуй, прятать надо! А то украдут еще... — и грустно улыбнулся.

На коктейле Кате было очень интересно. Она с восторгом узнавала артистов, журналистов и политиков, которых до этого видела только по телевизору. Вместе с тем, она держала себя уверенно и раскованно, с некоторыми познакомилась и разговаривала на равных. Пожалуй, она была самой молодой и красивой женщиной на коктейле и использовала этот козырь со скромным, истинно петербургским достоинством. И откуда что берется в девятнадцать-то лет!

...Внезапно словно ледяная игла тревога вошла ей в грудь, перебив дыхание. Где-то совсем рядом с собой она услышала знакомый голос с акцентом:

— Нэт, дарагой, нам это нэ интэрэсно, да...

Медленно обернувшись. Катя увидела у фуршетного столика двоих — хозяина дачи и невысокого толстого человека с двойным подбородком, черными вьющимися волосами вокруг лысины и вислым, «бананистым» носом. Вместо галстука под рубашкой у толстяка был повязан хитрым узлом шелковый платок. А невдалеке от них подпирал стену здоровенный кавказец, которого Катя сумела разглядеть во время памятной сцены в номере «России». Только на этот раз этот гориллоподобный великан был до синевы побрит, но точно так же, как и в «России», чуть заметно покачивался взад-вперед и смотрел остановившимися глазами в одну точку.

Вежливо отшутившись на замысловатый и длинный комплимент, который говорил ей популярный ведущий «Международной панорамы», Катя подошла к Вадиму, чокавшемуся с каким-то сухопарым стариком в тройке, и взяла его за локоть. Улыбнувшись старику глазами, она потянулась к самому уху Вадима Петровича:

— Вадик, кто это? — и чуть заметно кивнула в сторону хозяина дачи и его собеседника. Вадим вздрогнул, и янтарное вино из его бокала чуть не выплеснулось наружу.

— Это... Это один товарищ... из Генштаба... А почему ты, собственно...

— Из Генштаба, значит? Ты уверен, дорогой?

Катерина открыто усмехнулась прямо Вадиму в лицо и, мило улыбнувшись сухопарому в тройке, отошла от них...

Гончаровы возвращались с коктейля молча. В служебной «Волге» было тепло и уютно, Катя рассматривала мелькающий за окном в свете фар полыхающий осенними разноцветными пожарами лес и чуть заметно улыбалась с видом некоего тайного превосходства. Вадим Петрович, предчувствуя какой-то важный разговор, нервничал и искоса посматривал на Катерину.

Разговор она начала сама — дома, уже в постели, утомив предварительно Вадима своими ласками. Умело выбрав момент его расслабленности и умиротворенности, Катерина шепнула Вадиму, что догадывается о том, что он не все ей говорит, что у него есть какая-то вторая жизнь и странные тайные дела.

— Вадим, родной мой, ты пойми, я тебя ни в чем не упрекну, я твоя жена, я просто твоя, вся, но и ты мой... Но не весь. А я так не могу. Я не дура, я люблю тебя, но, согласись, — я тоньше тебя и лучше чувствую тебя, чем ты меня. У нас все замечательно, но если ты будешь скрывать от меня что-то — а это что-то очень существенное, как я догадываюсь, — у нас все может пойти наперекосяк... Тем более, если ты будешь врать мне, как сегодня, — про Гургена.

Услышав это имя, Вадим Петрович закрыл Катерине рот ладонью. Потом он встал, надел махровый халат, включил магнитофон с кассетой Высоцкого, добавил звук и закурил сигарету. Если не считать подсмотренной сцены в гостинице, Катя впервые видела мужа таким растерянным и напряженным. Он несколько раз взглянул на нее и покачал головой. Катя молча ждала. Вадим вышел в гостиную, достал из бара бутылку «Наполеона», хрустальный бокал и плеснул себе щедрую порцию.

Вернувшись в спальню, он присел на край кровати, сделал глубокий глоток и чуть слышно сказал, словно простонал:

— Проклятая страна!.. Проклятая...

И снова замолчал надолго, разглядывая грани бокала.

— Ты права, девочка... Я действительно рассказывал тебе не все, но... Поверь, Катюшка, мне просто хотелось уберечь тебя от всей этой грязи и мерзости...

Катерина села в постели, подтянув колени к подбородку. Она словно забыла о своей наготе.

— Вадим, я, конечно, тронута твоей заботой... А тебе не приходило в голову, что однажды я могу попасть в такую ситуацию, когда мне все-таки придется столкнуться со всем тем, от чего ты меня хотел уберечь... И я просто не буду готова, и удар будет страшнее...

Вадим Петрович с удивлением смотрел на Катю, словно видел ее в первый раз. Да и она сама удивлялась себе, своим словам, связанным в четко оформленные мысли совершенно взрослой и какой-то неженской логикой. Словно не Катя говорила все это Вадиму, а какая-то другая, незнакомая ей самой женщина.

— Знаешь, когда я была маленькой, отец заставил меня заниматься хореографией. А я ненавидела танцы, очень уставала и злилась на отца, однажды даже сказала ему, что он меня не любит. А отец улыбнулся и ответил мне так, что я запомнила на всю жизнь. Он сказал: «Запомни, девочка, настоящая любовь — это не тогда, когда сюсюкают и жалеют, а когда находят в душе силы, чтобы сделав тому, кого любишь, больно — этим сделать его более сильным и защищенным. Сейчас ты не понимаешь, почему я мучаю тебя этими танцами. Вот когда вырастешь большая и красивая, когда на твои ноги будут мужики оборачиваться — может, тогда поймешь...» Много лет спустя я вспомнила эти слова и поняла...

Катерина посмотрела на Вадима и тем же тоном сказала:

— Не пей один, Вадим... Налей уж и мне — за компанию. Муж и жена — одна сатана. Ты меня слышишь, Вадик?!

Вадим Петрович встрепенулся, словно вышел из оцепенения, в которое его погрузили слова и глаза Кати. Он сходил за еще одним фужером, налил в него коньяку и протянул жене. Катя коротко чокнулась с мужем и резко выпила до дна, а потом, чуть поморщившись, передернула плечами и вновь ожидающе посмотрела на Вадима.

— Понимаешь, Катюша... От того кошмара, который вокруг творится, можно, нет, даже не сгореть... Истлеть... Но этот мир придумал не я, и правила в нем тоже устанавливали совсем другие люди...

— Кто же? — спросила Катерина, чувствуя, как коньяк истомно катится по всем жилкам тела.

— Кто? Те, кто насилуют эту страну вместе с ее народом с семнадцатого года, насилуют бесстыдно и грязно...

Катя смотрела на Вадима Петровича широко распахнутыми глазами.

Гончаров отхлебнул из своего бокала, закурил новую сигарету и усмехнулся:

— Тебе, наверное, страшно слышать такие слова от номенклатурного работника... Но дело в том, что я никогда не питал особых иллюзий относительно системы... Я ведь рассказывал тебе, что вырос в детдоме. Так вот еще с тех времен, с детства, я помню правило номер один — нужно успеть добежать до стола и схватить свою ложку. Кто не успевает — остается голодным, а голодным быть не хотелось, хотелось вырасти большим и сильным, чтобы однажды взять и поменять в этой жизни правила игры на более добрые и справедливые. Для этого нужно было, как мне казалось когда-то, расти и расти, потому что чем выше ты стоишь, тем больше у тебя возможностей сделать что-то для тех, кто внизу...

Гончаров снова замолчал, глубоко затянувшись сигаретой. Ее огонек разгорался в полумраке комнаты, словно недобрый глаз неведомого зверя.

— Но система перехитрила — она оказалась слишком хорошо защищена. На каждом уровне — свои неписанные правила, и ты никогда не сможешь перейти на более высокий уровень, пока на тебе не испытают все правила более низкого. А на новом уровне — новые правила, и ты начинаешь все сначала...

А для того — чтобы двигаться с уровня на уровень, нужно быть полезным, лучше даже — необходимым. Необходимым для того, чтобы помогать системе делать дела. То есть деньги. Обороты, которые официально нигде не учтены, но которые контролируются гораздо лучше официальных... Я говорю «система», потому что все люди, которых я знаю, оставляют себе от этих оборотов крохи, а остальное уходит куда-то еще. Но на эти крохи можно жить, причем сравнительно неплохо, с некоторым комфортом...

Вадим замолчал, переждал, пока голос Высоцкого не выплеснет в тишину комнаты надрыв и боль «Охоты на волков».

— Да, все мы волки, бежим по офлажкованным дорожкам...

Катя обняла его за плечи, прижалась голой грудью к спине.

— Вадик, а тебе не страшно?

Вадим Петрович хмыкнул и, не оборачиваясь, начал гладить Катины руки.

— С некоторых пор я лично боюсь только простуды... Теперь вот, правда, стал бояться за тебя... Потому что ты — дополнительный крючок, на котором меня можно держать, чтобы не рыпался и не слишком увлекался собственной игрой... Пока моя маленькая личная игра не начнет мешать большой игре системы — можно спать спокойно. Ты даже не представляешь, с каким остервенением разные начальники, истребляющие родимые пятна капитализма, толкаются локтями у этой кормушки... И чем выше начальник, тем больше у него аппетит... А что касается МВД и КГБ — конечно, в этих структурах знают многое. Но десятки или даже тысячи чистых романтиков внизу, на земле, натыкаются лишь на осколки мозаики, поэтому не могут увидеть всю картину в целом, а следовательно, и сделать глобально ничего не могут! А если и пытаются, то ломают себе шеи! Те же в этих органах, кто способны видеть хотя бы фрагменты мозаики, — сами в игре... и вынуждены подчиняться ее правилам... Стухло все, Катюша... Рыба с головы гниет...

Катя обняла его еще крепче и прошептала в самое ухо:

— Тогда зачем же ты во всем этом... Зачем это тебе?

Он повернулся к ней, обнял ее, начал гладить ее грудь, живот и бедра.

— Родная моя, я бегу перед паровозом в длинном тоннеле — бегу из последних сил, потому что по бокам, стены — никуда мне с рельсов не соскочить. А надеюсь я только на то, что тоннель закончится раньше, чем мои силы, и я смогу отпрыгнуть в сторону...

— Иди ко мне, — простонала Катя, извиваясь под руками Вадима. — Иди ко мне, мой хороший, я хочу быть с тобой, я хочу дать тебе новые силы... Я хочу, хочу... а-а-а!..

Он вошел в нее настолько плавно и бережно, что и сам не понял точно, когда это произошло. Вадиму казалось, что он полностью погружается в Катерину, растворяется в ней, растворяется настолько, что начинает рассыпаться его сущность. Ощущение это было настолько глубоким и острым, что вызывало даже легкий неосознанный страх. Он не хотел признаваться себе, что с этой женщиной, которой не исполнилось еще и двадцати, он, Гончаров — битый, матерый мужик, — вдруг начал понемногу терять контроль над собой, над своей волей.

Потом они, мокрые от любовного пота, лежали на скомканных простынях. Катерина сбегала на кухню за холодным клюквенным морсом и попыталась было продолжить свои расспросы, но Вадим приложил палец к ее губам.

— Не торопись, родная... Я все тебе расскажу, но сразу, за один раз — это невозможно. Ни одна голова — даже такая светлая, как у тебя, — этого не выдержит. Информацией можно отравиться так же, как и едой — после долгого голода. «Любовь к жизни» Лондона читала? Помнишь, там этого бедолагу кормили понемногу... Не торопись, Катюша...

И Вадим сдержал свое слово. День за днем он постепенно вводил Катерину в жутковатый, но очень интересный для нее мир советского Зазеркалья. Катя узнала, что тот самый Гурген, которого она видела сначала в номере «России», а потом на коктейле у мидовца, — большой человек, вор в законе Гиви Чвирхадзе. Она узнала, что в разных городах Союза действуют целые подпольные заводы, которых нет ни в каких официальных документах, но продукцию которых ждут в разных уголках планеты. Вадим рассказывал ей, каковы цены на назначения на различные должности; как любые колебания в экономике сразу же проявляются в политике; какие жестокие игры происходят в верхах. Он знакомил ее с большими людьми, а потом, дома, рассказывал об этих людях то, что знал сам, и Катя начинала смотреть на них другими глазами. Она помогала Вадиму и постоянно была с ним рядом, но по молчаливому уговору Катя всегда на людях играла роль этакой наивной хохотушки-жены, не догадывающейся, чем занимается ее супруг. Вадим, опасаясь за Катерину, настоял на этом, а она не стала с ним спорить, повинуясь тихому внутреннему голосу, говорившему ей: «Рано. Пока рано».

Она с наслаждением погружалась в мир новых возможностей. Научилась ездить на автомобиле и гоняла по Москве без прав — и по мелким поручениям Вадима, и просто так. Она успевала на все светские вечеринки, выставки и премьеры. Когда Вадим бывал занят, она приезжала одна и везде быстро становилась своей. За ней пробовали волочиться чиновники и артисты, политики и генералы, но Катя умудрялась отваживать кавалеров, не задевая их мужского самолюбия, превращать их ухаживания в игру, в шутку, демонстрируя верность Вадиму и свою любовь к нему. А Вадим прислушивался к ее советам все больше и больше, и многие из его деловых партнеров были бы удивлены, если не сказать — шокированы, узнав о том, что идеи некоторых прибыльных и крайне сложных операций, предлагаемых Гончаровым, были подсказаны ему его красивой смешливой супругой. А Катерина входила во вкус влияния из-за кулис на этот бесконечный спектакль... Ее учеба на юрфаке МГУ шла хорошо, но с новыми однокурсниками она так и не сблизилась. В Ленинград она звонила редко, даже реже, чем бабушке в Приморско-Ахтарск. Ленинград, Сергей и Олег остались в прошлой жизни, и Катя запрещала себе думать о них.

Так все и шло до ноября 1984 года, когда на улице Горького Катя случайно встретила вернувшегося из Афганистана Олега Званцева. Вот тогда затихшее до поры прошлое жестоко отомстило ей, обрушившись на Катерину нестерпимой волной ностальгии. Как специально, Вадим был в командировке — он уехал в составе официальной делегации в ФРГ и должен был пробыть там около недели. Катя и сама не могла понять, как она оказалась в постели с Олегом. Наверное, сказались одновременно и острая, почти материнская жалость к Званцеву, выглядевшему так, словно он вернулся с того света, и ее тоска по простому и чистому ее прошлому, и что-то еще, непонятное ей самой. Они были вместе с Олегом всего одну ночь, он стал вторым мужчиной в ее жизни, и самое удивительное — ей было в постели с ним так же хорошо, как и с Вадимом. А может быть, даже лучше; потому что приправа к сексу была из очень острых чувств — вины, тоски, жалости, боли и еще чего-то. Катя тогда по-настоящему испугалась, потому что в голове ее впервые мелькнула мысль о том, что, может быть, те чувства, которые она испытывала к Вадиму, были вовсе не любовью. Или не совсем любовью? Ведь если любишь кого-то, разве может быть настолько хорошо с кем-то еще?

Ей хватило сил наутро обидеть Олега и практически вынудить его уйти. Он, наверное, даже не понял, чего ей это стоило. А может быть, и понял. Он вернулся из Афганистана совсем не таким, каким помнила его Катерина. В его глазах застыла пугающая мудрость человека, заглянувшего за границу жизни, за пределы добра и зла. А может быть, ей только показалось? И еще ее удивило, что чувство глубокой вины она испытала после ночи с Олегом не только перед Вадимом, но и перед Сергеем Челищевым, с которым она даже и не целовалась ни разу. Катерине казалось, что она сходит с ума.

С возвращением Вадима из командировки кошмар не кончился. Вадим Петрович не узнавал свою жену. Обычно веселая и жизнерадостная, Катерина стала мрачной и нервной.

— Катенька, родная, ты не заболела ли? — спрашивал он ее дрожащим голосом, а Катерина отвечала ему, что она просто устала, переутомилась. Очень скоро Катя поняла, что беременна, и с ужасом ждала развязки. Но Вадим не догадывался о причинах ее состояния, винил во всем себя и был еще более ласковым и нежным.

Ее спасло то, что Вадима решили послать в длительную командировку в Швейцарию — он должен был там в течение восьми месяцев помогать развертыванию сети советского торгового представительства. От этой новости ожила и Катерина, воспрянул духом и Вадим Петрович.

— Вот он, свет в конце тоннеля, — говорил Гончаров Кате. — Если все получится так как надо, если все сложится, — мы с тобой, Катенька, сумеем соскочить с рельсов в сторону...

Они договорились, что Вадим поедет в Швейцарию один, а Катерина отдохнет тем временем, съездит к бабушке в Приморско-Ахтарск. Вадим уехал в конце января 1985 года, когда Катерине было уже почти невозможно скрывать перед ним свою беременность. Об аборте она и не думала, знала, что слишком велик риск того, что больше у нее может не быть детей. Она досрочно сдала сессию и договорилась о переносе защиты диплома на август. В деканате ей, конечно, охотно пошли навстречу.

В Приморско-Ахтарске Катерина все рассказала бабушке, которая слишком любила свою внучку, чтобы не помочь ей. Пенсионерка-врач Елизавета Петровна смогла устроить Катю в родильный дом, обойдя некоторые формальности. Катя родила сына и назвала его Андреем, в честь когда-то погибшего на Енисее отца Олега Званцева.

Катя оставила Елизавете Петровне правнука и достаточно большую сумму денег, которой должно было хватить на первое время. В Москве и в Ленинграде о том, что она стала матерью, не знала ни одна живая душа.

Катерина успешно закончила учебу в университете и легко получила красный диплом. Вернувшемуся в сентябре из Швейцарии Вадиму Петровичу она с гордостью показала красные «корочки», но на его горячие поздравления ответила трезво и с легкой иронией:

— Вадик, с тем же жаром ты можешь поздравить и самого себя. Без тебя, без твоего имени я вряд ли бы его получила, даже если бы зубрила в два раза больше. Так что — это наша общая заслуга, дорогой...

Вадим приехал из Швейцарии в состоянии радостного возбуждения, казалось, он даже помолодел на несколько лет. Ночью он рассказал жене на ухо, что сумел открыть в Цюрихе банковский номерной счет, пока не очень большой, но — начало положено, а остальное — дело наживное. У Вадима появилась возможность периодически вылетать в Швейцарию, и каждую поездку он использовал для того, чтобы прихватить с собой часть капиталов, скопленных в Союзе.

— Немного осталось, родная, — говорил он Катерине. — Совсем немного еще здесь покрутимся и рванем отсюда навсегда... И там уже сможем зажить как люди, детей родим, будем жить для себя и для них. И время как раз удачное, перестройка эта на нас работает — замутилось все, перепуталось, вот мы в этой мути и уйдем незаметно...

Катерина кивала и улыбалась, сдерживая боль, потому что, как только начинал Вадим говорить о предполагаемом отъезде, она видела маленькое сморщенное личико своего сына.

Но «немного», о котором говорил Вадим, затягивалось. Все шло не так гладко, как ожидалось в начале перестройки. Поднятая Горбачевым муть работала одновременно и на «систему», и против нее. С одной стороны, начавшееся кооперативное движение позволило легализовать многие операции «системы», с другой — появилось много новых людей, с жадностью бросившихся к кормушке, а как известно, там, где слишком тесно становится от лихих людей, всегда возрастает риск.

За два последующих года Гончаров сильно изменился. Деньги, проходящие через него мощным мутным потоком, словно унесли с собой куда-то его сущность, его «я». Он даже внешне изменился — высох, резко поседел, а его глаза, когда-то тепло-карие, с затаенной доброй смешинкой, теперь почти постоянно горели нехорошей алчной чернотой. Катя видела и чувствовала все, что происходило с мужем, пыталась даже говорить с ним, плакала — но он не понимал, чего она от него хочет, и только раздражался.

— Для кого я это все делаю, для чего сердце рву, себя не жалею? Это же для тебя все! А ты меня же за это и... Ну да, я меньше стал внимания тебе уделять, но ведь мы уже на финише... Сейчас все силы надо в последний рывок вложить... Немножко ведь осталось... Совсем чуть-чуть...

Он как в воду глядел. Ему действительно оставалось совсем чуть-чуть до финиша...

Раскрутившееся с невиданным размахом в начале 1988 года «Елисеевское дело» затягивало в свою воронку все новых и новых свидетелей и обвиняемых. Словно мор пошел по деловой Москве, каждую неделю Вадим рассказывал Катерине о новых арестах, странных «самоубийствах» и нелепых «несчастных случаях», уводивших из жизни серьезных людей, многие из которых были Кате хорошо знакомы. К ней пришло стойкое предчувствие беды, оно накрыло Катерину плотным черным крылом невидимого огромного ворона. И если раньше она старалась не слишком поддерживать разговоры о предстоящем отъезде на Запад, которые начинал Вадим, то теперь сама стала торопить мужа, а Вадим Петрович словно ничего не понимал и не чувствовал. Он лихорадочно «докручивал» одни операции и тут же начинал новые, как заведенный, повторяя жене:

— Хорошо, хорошо... Скоро, совсем скоро поедем... Немного осталось. Еще чуть-чуть!

Катя заставила его очнуться только в начале сентября 1988 года, после того как стало известно об аресте того самого работника МИДа, на даче которого она впервые увидела Гургена.

Катя впервые в жизни закатила Вадиму настоящую истерику. Она рыдала, ломала руки, дрожала, словно в лихорадке, и повторяла, выкрикивала в лицо мужу, что ей уже ничего не надо, что ей страшно, и если она сойдет с ума от страха или что-нибудь с собой сделает, то уже никакие деньги ничего не исправят.

Ее слезы и отчаяние пробили невидимую кору, закрывавшую от нее Вадима Петровича последние два года. Он словно очнулся от морока, от колдовского наваждения и стал прежним. Гончаров стал спешно готовить документы к отъезду, успел даже сделать Кате синий служебный паспорт. Это было последнее, что он успел сделать. 14 сентября на Кутузовском проспекте неведомо откуда взявшийся грузовик превратил в кашу служебную «Волгу», в которой ехал Гончаров. Водитель грузовика с места происшествия сбежал, но через несколько часов его труп был идентифицирован милицией на одной из станций метро — свидетели показали, что он сам бросился под поезд.

Хоронили Вадима Петровича Гончарова на Ваганьковском кладбище в закрытом гробу. Отупевшая от горя и транквилизаторов Катерина воспринимала происходящее через какую-то дымку. Она не плакала, ее словно выморозило всю изнутри. Очнулась она только тогда, когда очередную речь над гробом, заваленным цветами, стал говорить Гурген, державшийся на похоронах как распорядитель на очередном коктейле. Катя подняла на него глаза, и так силен был заряд неприязни в ее взгляде, что Гурген запнулся, закашлялся и скомкал конец своей фальшивой скорбной речи. Все остальное время, пока шла гражданская панихида, пока опускали в могилу гроб и забрасывали его землей, Катя затылком чувствовала на себе недобро-удивленный, тяжелый взгляд Гургена.

Он позвонил Катерине через несколько дней после похорон. Гурген не представился, но она сразу узнала его странный плавающий акцент. Сказав несколько пустых слов соболезнования, Гурген перешел к сути:

— Вадим ушел, не успев доделать все свои дела на этой земле... Но долги нада платить, эта запавидь порядошных лудей, да...

— Какие долги, кому? — растерялась Катя.

— Мыне... — и Гурген назвал сумму, от которой Кате стало холодно.

— Но у меня нет таких денег, и я про долг Вадима ничего не знаю...

Гурген помолчал, тяжело дыша в трубку, а потом коротко закончил разговор, словно дверь захлопнул:

— Паищи, да... Очень тыбя прашу...

Пикающая трубка затряслась в Катиной руке, и она впервые после смерти Вадима смогла заплакать. Катерина, не знала, что делать. Ей было страшно, она осталась одна в огромной Москве, знакомые словно отстранились от нее, и телефон, когда-то не умолкавший вечерами в их квартире, мертво молчал. Катя пыталась дозвониться до генерала милиции, с которым ее однажды познакомил Вадим, но его секретарша, узнав, кто звонит, после небольшой паузы сообщила ей, что генерал в командировке. Катерина начала метаться по Москве, пытаясь найти тех, кого Вадим считал друзьями, но все словно в норы попрятались — либо не открывали двери, либо их жены, не приглашая Катю войти, сообщали ей о командировках, отъездах или болезнях мужей.

Она вернулась в квартиру поздним вечером, зажгла свет в гостиной и вскрикнула от страха — на диване и в двух креслах вокруг журнального столика сидели три незнакомых ей человека. Впрочем, нет, одного она помнила — тот самый огромный кавказец, тень Гургена... Он как обычно молчал, чуть раскачиваясь и глядя в стенку. Двое других были русскими, похожими друг на друга своими мутными глазами и сально слипшимися волосами. Они быстро подскочили к замершей Катерине. Один зажал ей рот шершавой ладонью, потянув одной рукой голову за волосы назад, а другой стал задирать ей юбку до талии, шаря суетливыми пальцами у нее между ног... Кате было так страшно и противно, что она стояла как ватная, даже не пытаясь сопротивляться.

— Ух ты, соска какая сытная, а? Буфера-то какие наела! — заржал тот, кто задирал на Кате юбку, и вдруг, истерично похохатывая, то ли запел, то ли зашипел: — «Фаланем девчонку на дурное дело — ах, какие ножки, ах, какое тело!..»

Кавказец медленно, словно неохотно, перевел на него свой стеклянный взгляд, и певец резко оборвал куплет:

— Ты че, шкура, не поняла? Деньги где, соска дешевая? Счетчик тикает, слышишь? Секель порву!

Катя промычала что-то нечленораздельное сквозь ладонь, зажимавшую ее рот. Кавказец встал с дивана. Казалось, его совсем не интересует то, что делали с Катей двое мутноглазых.

— Отдай ее нам, Резо! — крикнул тот, что держал Катерину сзади. Резо неторопливо подошел к ним и сделал жест рукой. Катю отпустили. Резо взялся рукой за ворот Катиной блузки и резко рванул вниз. Итальянский хлопок треснул и разорвался, на пол посыпались пуговицы. Равнодушными глазами кавказец осмотрел Катины груди и негромко сказал:

— Мы придем завтра. Если не будет денег — порвем тебя. Отдашь — не тронем. Обещаю. Захочешь убежать — вернем, за домом посмотрят. Обмануть нас захочешь — будем тебе очень больно делать.

Так же медленно, словно окончательно утратив интерес к Кате, Резо двинулся к входной двери. Тот, который напевал песенку, сплюнул на пол и пакостно хохотнул Кате в лицо.

— Сечешь, шкурка?! Готовь лохматый сейфик под кипятильничек! Подмыться не забудь.

Хлопнула входная дверь. Катя села на диван, даже не поправив задранную юбку. Ей казалось, что еще немного — и она сойдет с ума. Быстро подбежав к бару, она достала бутылку коньяка и бокал. Катины руки так тряслись, что коньяк не попадал в бокал, выплескиваясь на пол. Бросив фужер на ковер. Катя крепко обхватила бутылку двумя руками и сделала три неумелых глотка из горлышка. Коньяк тек у нее по подбородку, попадал на порванную белую блузку. Постепенно алкоголь стал действовать, и Катерина смогла очнуться от шока. Сняв с себя разодранную одежду, она побежала в душ и лихорадочно стала тереть тело мочалкой, словно пытаясь смыть прикосновение грязных рук. Переодевшись, она сделала еще глоток коньяку и закурила, пытаясь успокоиться и сосредоточиться. Первой мыслью было собраться и бежать... Но куда? А если за домом действительно наблюдают? Тогда она точно попадет в руки этого страшного Резо и его мутноглазых. Волны паники захлестывали Катин разум, мешали думать. «В милицию обращаться нельзя. Слишком много придется рассказывать и объяснять... А может быть, Вадим на самом деле был должен Гургену? Может быть, рассказать этим нелюдям про счет в Цюрихе, дать им код? Вадим как знал — заставил выучить код наизусть...» Но интуитивно Катерина чувствовала — нельзя рассказывать Резо про счет в Швейцарии. После того как она это сделает, жизнь ее не будет стоить и фантика. Да и не мог Вадим Петрович ничего задолжать Гургену. Катя бы об этом знала... Но что делать, что делать?

Неожиданно для себя самой Катерина вдруг грохнулась на колени, перекрестилась и подняла глаза вверх:

— Господи, вразуми! — лихорадочно шептала она, но вразумление не наступало. Катя заплакала и отхлебнула еще коньяку.

Внезапно она почувствовала, как страшная усталость наваливается на нее, буквально выключая сознание. Из последних сил она добрела до спальни и упала ничком, не раздеваясь, на кровать.

Она проснулась словно от толчка, зная, что нужно делать. В коротком сне она увидела лицо человека, который может ее спасти. Олег Званцев. После той памятной ночи он всегда присылал ей поздравительные открытки на Новый год, на Восьмое марта и на день рождения. В предпоследней открытке Олег написал номер телефона, по которому его всегда можно найти — в любое время, как он написал... Где же эта открытка, неужели она ее выбросила? Катя судорожно рылась в своем письменном столе, выворачивая содержимое ящиков прямо на пол... Вот она!

Дважды Катя не могла правильно набрать номер телефона — слишком тряслись пальцы. Когда на другом конце провода она услышала незнакомый мужской голос, у нее упало сердце.

— Алло?

— Позовите, пожалуйста, Олега Андреевича Званцева.

— Кого?

— Званцева. Званцева Олега!!!

— А кто его спрашивает?

— Это из Москвы... Катя... Екатерина Гончарова... Нет, Шмелева... Он поймет... Это очень, очень срочно...

Голос в Ленинграде немного отдалился от трубки, но Катя, напрягшись, сумела расслышать: «Адвоката спрашивают... Из Москвы... Шмелева какая-то... Через час?..»

— Алло, девушка, он отъехал, будет только через час примерно. Он ваш телефон знает?

— Знает! Но вы все равно запишите, пожалуйста, это очень, очень срочно. И важно! Для него...

Следующие полтора часа Катя переходила от надежды к отчаянию, не сводя глаз с молчавшего телефона.

Когда она уже протянула руку к трубке, чтобы попытаться вновь пробиться в Ленинград, телефон резко зазвонил.

— Да?! — в этом коротком выкрике была вся ее боль и надежда.

— Катя! Катюша, что случилось?!

Услышав голос Олега, Катерина залилась слезами от облегчения и ничего не могла сказать.

— Катя, что случилось, почему ты плачешь, что с тобой!? — надрывался в Ленинграде Олег.

Еле справившись с рыданиями. Катя закричала в трубку:

— Олеженька, родной, спаси меня!.. Вадима убили... Приезжай срочно, умоляю, если ты меня не вытащишь отсюда, меня завтра убьют и... И я не знаю, что еще со мной сделают... Они от меня деньги требуют, а я не знаю, откуда их взять. Сегодня приходили трое — сказали, завтра снова придут... Помоги, Оле-женька!..

Олег пытался что-то расспросить, но Катерина только рыдала и умоляла спасти ее. Поняв, что в Москве действительно происходит что-то странное, Званцев решил не терять времени на бесполезные расспросы. В конце концов, Катерина звала его на помощь, и это было главным. Она звала его, а он столько лет этого ждал...

Ночной гонки из Ленинграда в Москву Катя, конечно, не видела. А посмотреть было на что. Взяв с собой трех самых преданных и надежных своих людей, Олег сумел выехать уже через полчаса после звонка Катерины. «Мерседес» и BMW, казалось, не ехали по шоссе — они просто летели. Ну как обойтись русскому без быстрой езды, а особенно если он спешит на помощь любимой женщине! Ах, какая это была гонка...

В половине девятого утра Олег уже звонил в ту самую дверь, которую закрыл за собой с горечью почти четыре года назад. Нажав на звонок, Олег тут же отстучал в дверь морзянкой «семерку» — их старый, еще школьный условный сигнал. Не спавшая всю ночь Катерина сразу же открыла дверь и без слов буквально упала Олегу на руки. Двое спутников Олега, Ветряк и Доктор, смущенно затолкались в прихожей (третьего, Танцора, они оставили смотреть за машинами и обстановкой во дворе). У Кати не было сил на слезы, ее просто трясло, а Олег обнимал ее, прижимал к своей груди и шептал успокаивающе:

— Катенька моя, все будет хорошо, все будет хорошо...

Наконец Катерина взяла себя в руки, повела гостей на кухню и предложила им кофе. Олег пить кофе в кухне отказался, взял свою кружку и повел Катю в гостиную, чуть смущенно улыбнувшись «браткам», которые с деликатной невозмутимостью разглядывали кухонный интерьер. В гостиной Званцев сел на диван, шумно отхлебнул из кружки, которую держал двумя руками, и приготовился слушать Катерину. А она стала рассказывать ему все с самого начала — сбивчиво, путано, но Олег понял главное. Не рассказала Катя ему только о двух вещах — о том, что она родила сына, и о том счете в Швейцарии, о котором теперь знала только она... Катя была уже достаточно умудрена житейским опытом, чтобы не припрятать на всякий случай пару козырей в рукаве. Да и не знала она, как Олег воспринял бы известие о сыне, особенно в такой вот обстановке... Да и счет этот... Успеется, решила про себя Катерина. Она практически полностью пришла в себя, словно впитав силу и уверенность, которые буквально источал Званцев. Катя все время держала Олега за руку, как будто боялась, что он может куда-то испариться. Ну а Олег, ясное дело, руку свою у нее не отбирал... Пока не услышал имя Гургена. На этом месте Катиного рассказа он вдруг стал очень серьезным, и с него слетел весь романтический хмель ночной гонки и утренней встречи. Олег закурил (Катя отметила про себя, что курил он уже не «Приму», как в прошлую их встречу, а «Кэмел») и прошелся по комнате.

— Так, Катюша, все будет хорошо, ничего не бойся! Мы все уладим. Но в Москве тебе оставаться нельзя. Быстро вещи собирай, поедешь с нами в Питер.

— А... А как же квартира? — испуганно спросила Катерина.

— Какая, к черту, квартира, ты что?! — взорвался было Олег, но тут же осекся и продолжил ласково и на тон ниже:

— Собирайся быстрее, Катенька, нельзя ни минуты терять, бери только самое необходимое...

Катерина завороженно кивнула и побежала в спальню, Олег зашел в кухню и кивнул плотному блондину:

— Доктор, сходи смени Танцора. И внимательнее за подъездом смотри: если что — сразу по рации мне... Валить нам отсюда надо по-быстрому, пока в блудняк* не влетели... А ты, Ветряк, пошуруй в холодильнике, насобирай нам чего-нибудь на дорогу, а то опять весь день не жрамши ехать будем...

Как всякая нормальная женщина, Катя собирала «самое необходимое» долго, и Олег стал нервничать. Он хотел уже поторопить ее, когда запищал «воки-токи» в кармане его куртки.

— Адвокат, похоже, к вам гости! Трое.

— Понял, встретим! — И Олег отключил рацию. Его движения стали быстрыми и бесшумными. Званцев кивнул Танцору и Ветряку на дверь, и они заняли свои позиции в прихожей. Шепнув Кате, что все будет хорошо, Олег закрыл дверь в спальню, а сам замер у двери в гостиную.

Звонок грянул в абсолютной тишине. Олег сделал Ветряку знак рукой, и тот открыл дверь. В квартиру вошли трое. Шедший впереди кавказец встретился

---

* Блудняк — мутная, мерзкая ситуация (*жарг.*).

глазами со Званцевым, но даже не успел удивиться. Танцор швырнул его навстречу Олегу, который отключил кавказца ударом вывернутой ступни в горло. Тот молча упал навзничь. Двое других гостей уже лежали лицами в пол, придерживаемые Ветряком и Танцором. Олег распорядился, чтобы всех трех затащили в гостиную, и позвал Катерину.

— Эти приходили? — он кивнул на лежащие на полу фигуры. Двух мутноглазых Катя узнала сразу, а кавказца она видела впервые.

— Вчера другой приходил, они его звали Резо...

— Ясно! Давай, Катюша, допаковывайся быстрее, мы сейчас с гостями поговорим о своем, детском...

Но Катерина как приросла к полу, глядя на зашевелившегося на полу кавказца. Олегу пришлось рявкнуть на нее, чтобы она ушла в спальню.

Олег сел в кресло и подождал, пока кавказец встанет.

— Ты, что ли, разборки тут ведешь? Ты кто?

Один из мутноглазых вдруг заверещал:

— Гиви, скажи этим фраерам... — но не успел договорить, потому что Ветряк сильно ударил его лицом об пол.

— Тише ты, соседей разбудишь! — сердито сказал Олег и, улыбнувшись, продолжил: — Стало быть — Гиви! Как в песне: «Гиви, Гиви любит женщин, пьет коньяк и ест сациви...»

Гиви потер рукой горло и прохрипел, раскачиваясь:

— Ты, фраер, за это ответишь... Потом смеяться будешь, когда шкурка твоя при тебе как пылесос работать начнет... Перед тем, как тебя запарафинят... Ты на кого руку поднял?

Гиви вдруг резко развернулся, полоснул Танцора неведомо откуда появившейся финкой по руке и бросился было к двери, но замер, пробитый ножом, который метнул ему в спину Олег. Гиви медленно опустился на пол и начал сучить ногами. Олег подошел к нему и сел на корточки.

— Кто тебя послал? По каким проблемам? Душу-то облегчи перед смертью, не быкуй...

Гиви сплюнул кровавую пену и, повернув лицо к Олегу, захрипел:

— Добивай, сука! Но мы тебя найдем, с живого шкуру снимать будем...

Олег выдернул у него из спины нож и ударил им Гиви под сердце. Тот дернулся и затих.

— Извини, генацвале, — сказал Званцев, вытирая лезвие об одежду убитого. — Ты все свои шкуры уже отсдирал.

Олег прошел на кухню и зажег газ. Из спальни, где сидела Катя, не доносилось ни звука.

— Давай сюда второго красавца, — крикнул Олег Танцору. У того, которого Танцор втащил в кухню, на правом веке было выколото слово «раб», а на левом — «КПСС». Когда он закрывал оба глаза, можно было прочитать «раб КПСС».

— Что вы от девочки хотели, кто вас сюда послал?! — голос Званцева был страшен, но «раб КПСС» только ухмыльнулся. Тогда Олег быстро запихал ему в рот кухонное полотенце, заломил руку за спину и ткнул лицом в синее пламя горелки. Мутноглазый «раб» дико замычал сквозь кляп. В квартире сразу запахло горелым мясом и палеными волосами. Олег поднял лицо «раба КПСС» из огня и вынул изо рта у него кляп:

— Как свинью зажарю... Кто тебя послал сюда?!

«Раб» забился в руках у Танцора и провыл:

— Ничего, сучий фраер, скоро сам шашлыком станешь, когда Гурген в твою жопу шампур засовывать начнет...

Сука-а-а!!! — И он завыл на одной ноте, дико и страшно.

— Танцор, заткни его! — крикнул Олег, и через секунду душа «раба КПСС» навсегда покинула землю, на которой он столько лет грешил. Такой удар ребром ладони мог перебить стальной прут, не то что шею.

— Зря ты так,— поморщился Званцев.— Можно было еще поговорить...

Танцор пожал плечами — мол, не понял, босс.

Званцев, морщась от вони, пошел к третьему гостю, которого держал Ветряк.

— Значит, все-таки Гурген вас послал? — невесело спросил Званцев, подойдя вплотную к третьему. Тот отшатнулся от лица Олега, но Ветряк ткнул его в затылок.

— Я не знаю ничего, клянусь! Я Гургена вообще, в натуре, один раз за жизнь видел, бля буду! А про соску... Ну, про телку эту, Резо сказал, что она деньгами насосана, а за ней должок... Я все расскажу, я помогать буду...

— Ты как откликаешься?

— Грека...

— Скажите-ка мне, любезный Грека...— начал было Олег, но в кармане его куртки запищал «воки-токи». Званцев достал рацию и нажал кнопку, впустив в квартиру искаженный эфиром голос Доктора:

— Адвокат, давайте быстрее, здесь карусель какая-то начинается!..

— Понял, уходим! — Олег сунул рацию обратно в карман и развел руками:

— Извини, Грека, спешим мы!

И кивнул Ветряку, который тычком ладони вбил Греке носовые хрящи в мозг.

Званцев заскочил к Катерине в спальню.

— Нужны большие чемоданы или сумки. Есть у тебя?

Белая как мел, Катя кивнула и показала рукой на стенной шкаф. Там после переезда в Москву Вадим зачем-то хранил три огромных чемодана, которые, смеясь, называл «мечтой оккупанта». Олег выволок их в гостиную и начал с Ветряком укладывать в них трупы. Катя вынесла в прихожую две сумки со своими пожитками. Остолбеневшая, она остановилась, глядя на Танцора, который совершал в кухне какие-то странные движения над телом «раба КПСС».

— Олежа, что он делает?.. Мне страшно...

Олег вытащил в прихожую два тяжелых чемодана, мельком глянул на кухню.

— Не обращай внимания... Он Хаву Нагилу танцует. За это и погоняло* свое получил, в Афгане еще... Как замочит кого-нибудь, обязательно должен Хаву Нагилу станцевать, танец такой еврейский... Пока не станцует — ничего не соображает, а потом — нормальным пацаном снова становится... Контуженный он... как и все мы... — Олег опустил глаза и пошел в кухню помогать Ветряку укладывать третий труп. А Танцор, не глядя на них, танцевал... Катю затошнило было от ужаса и неприятного запаха, витавшего в квартире, но она справилась с собой.

«Ничего! — шептала она себе. — Ничего... Я выдержу. Я сильная».

Номенклатурный дом еще спал, когда Катя, Олег и Танцор с Ветряком спустились в лифте на первый этаж. Была суббота, и ответственные работники отдыхали. Две свои сумки Катерина тащила сама, потому что руки мужчин были заняты более тяжелой поклажей. Швейцара дяди Гриши на месте, по счастью, не было, вместо него на стуле у двери подъезда лежала фуражка. Дядя Гриша, видимо, ушел попить чайку. Все это Катерина подмечала чисто машинально.

---

* Погоняло — прозвище (*жарг.*).

Во дворе к ним бросились двое каких-то незнакомцев, вылезших из белой «Волги». Но Званцев с криком: «Держи!» — бросил чемодан под ноги одному, Ветряк таким же образом повалил второго, а Танцор швырнул свой чемодан сверху на этих двух упавших. Подхватив у Кати ее сумки, мужчины бросились к «мерседесу». Ветряк выключил дистанционную сигнализацию и сразу прыгнул за руль. Танцор сел с ним рядом, Катя и Олег забрались на заднее сиденье, и машина резко взяла с места...

Доктор, сидевший за рулем стоявшего поодаль BMW, спокойно наблюдал, как двое сбитых с ног поднялись, отряхнулись, открыли чемоданы, помолчали, разглядывая содержимое, а потом защелкнули замки. После короткого совещания они подтащили чемоданы к белой «Волге» и втиснули два в багажник, а третий затолкали на заднее сиденье.

Потом один сел за руль, а второй побежал к телефону-автомату.

Доктор понял, что эти двое были не ментами — иначе они не стали бы запихивать трупы в машину. Доктор также догадался, что немедленной погони эти двое — кто бы они ни были — организовать не в состоянии. Поэтому он спокойно запустил мотор и поехал нагонять «мерседес» Адвоката. Стрелку они забили заранее — в самом начале Ленинградского шоссе...

Катя плохо помнила дорогу в Ленинград. В «мерседесе» она выпила, обняла Олега и задремала... Впрочем, это, наверное, была не дрема, а скорее какой-то транс, потому что видения сна у нее мешались с явью: то она просыпалась, курила и разговаривала с Олегом, то вдруг вместо Олега возникал перед ней Челищев с какой-то странной улыбкой на губах. То ей что-то говорил Вадим — но что именно, она не могла расслышать... Как ни странно, Кате не было страшно. Все ее страхи остались в Москве, в прежней жизни. А сейчас она ехала в Ленинград, чтобы начать новую жизнь. Или вернуться к старой? У нее не было сил, чтобы спокойно проанализировать все произошедшее и спланировать будущее. Будь что будет, — решила она. А Олег, будто услышав ее мысли, обнял ее, прикоснулся к ее глазам губами, покачал немного, как ребенка, и прошептал:

— Все будет хорошо! Вот увидишь — все самое страшное уже позади. Все будет теперь очень хорошо, Катюшка...

На самом деле Олег вовсе не был стопроцентно уверен в том, что все будет именно хорошо, а не как-то иначе. Имя Гургена было ему знакомо, он знал, что этот человек в Москве — величина ничуть не меньшего калибра, чем Антибиотик в Ленинграде. Поэтому Званцев понимал, что если бы они хотя бы немного задержались в златоглавой, шансов на выживание у них не было бы совсем. Олег торопился поскорее увидеться с Виктором Палычем и успеть рассказать ему обо всех московских событиях. Тогда появился бы шанс, что Антибиотик не отдаст его с Катей Гургену. В основном Олег делал ставку на то, что Антибиотик с Гургеном недолюбливали друг друга, но эмоции эмоциями, а существуют еще и «понятия»... А по понятиям, Званцев без спроса вписался абсолютно не в свою тему, в чужую разборку... Единственное, на что оставалось нажимать, — это на то, что Катерина была «не при делах», а люди Гургена устроили совершенный «беспредел» и «западло», «нацепив» внаглую чужие проблемы на человека «левого»...

Это могло сработать при условии, что все московские события не станут достоянием широких кругов братвы. Потому что в узком кругу такие люди, как Гурген, Антибиотик или, скажем, Сильвер из Свердловска чихать хотели на понятия, которые они трактовали всегда так, как удобно было им самим...

Поэтому по приезде в Ленинград Олег отпустил Доктора, Танцора и Ветряка, щедро выдав им «проездные», «командировочные», «премиальные», и посоветовал представиться братве в кабачине, но не рассказывать, зачем в Москву ездили.

Трое боевиков сразу задачу уяснили — не велит Адвокат браткам рассказывать! Нет проблем! Нам сказали, мы сделали, а голова путь болит у того, кто умный и книжки читает.

Вдвоем с Катериной Олег поехал к Антибиотику на Васильевский остров. Виктор Палыч жил в роскошной стометровой квартире, бывшей коммуналке, которую никогда и ни за что не узнали бы те шестнадцать горемык, которые ютились здесь раньше. Квартира Антибиотика была уголком Запада в Советской России. Говорят, кто-то из заезжих воров в законе попытался как-то предъявить* эту вызывающую роскошь Антибиотику, потому что не по воровским понятиям было

---

* Предъявить — обвинить (*жарг.*).

жить в богатстве. Виктор Палыч якобы в ответ только презрительно скривил губу и ответил: «Это, любезный, вы у себя на воровских толковищах предъявы друг дружке делайте! А я не вор, я коммерсант и предприниматель, человек тихий, комфорт и покой любящий. И очень сердящийся на тех, кто на эту мою усладу стариковскую свое хайло разевает... Хайло-то ведь и зашить можно, чтобы не вякало...» И до вора дошло, потому что слушок про Антибиотика шел авторитетный, говорили, что людей он «перекусывает», как чашку чая выпивает. Кстати говоря, хоть и любил Виктор Палыч покряхтеть, поюродствовать, называя себя стариком, — был он вовсе не стар еще. Крепким он был мужичком лет за пятьдесят на вид. Впрочем, за те четыре года, что Олег Званцев знал Антибиотика, он ничуть не постарел и не изменился, так что черт его знает, сколько уже лет топтал Виктор Палыч нашу скорбную землю своими грешными ногами. А грешен был Антибиотик, нарушал, и неоднократно, все заповеди Христовы. И часто блудодейством грешил, с возрастом стал предпочитать либо приличных интеллигентных замужних дам, которых совращал деньгами долго и с умелостью, а потом, забавляясь, втаптывал в грязь; либо малолеточек совсем, да причем по паре сразу... Похотлив был Виктор Палыч, правду, видать, говорят, седина в голову — бес в ребро!

«Как бы Антибиотик на Катю глаз свой не положил», — обеспокоенно подумал Званцев, подъезжая к серому дому на 13-й линии. Но, оглядев Катерину, успокоился. Она была явно не в лучшей форме — заревана, глаза красные, опухшие. Да все равно красива, конечно...

Катя внимательно оглядела невысокого лысоватого человека с пронзительными серыми глазами, которого Олег почтительно назвал Виктором Палычем. Встречала Катя в своей жизни людей с такими глазами и умела интуитивно вести себя так, чтобы нравиться им, не нарушая дистанции. Вот и сейчас, поняв, что от этого лысоватого очень многое зависит, включила Катерина на полную мощность магнетизим своего обаяния.

Олег с Виктором Палычем ушли в кабинет, оставив Катю в гостиной. Она присела на шикарнейший диван и стала прислушиваться к глухим голосам, доносившимся из кабинета.

А там шел интересный разговор. Сначала говорил Олег, а Антибиотик слушал его с совершенно непроницаемым лицом. Когда Званцев наконец замолчал, Виктор Палыч налил себе коньячку (Олегу не предложил) и задумчиво протянул:

— М-да... Веселенькие истории ты на ночь рассказываешь... Совсем не жалеешь старика...

Антибиотик вдруг хищно прищурился и дернул губой над клыком:

— Что же... Гончарова я помню. Способный был делец. Когда-то... — и, помолчав, спросил: — А скажи-ка мне, Адвокат, по совести — зачем тебе-то нужна эта баба?

Олег внутренне весь напрягся и тяжело катнул желваки под небритыми щеками:

— Это не баба. Это... Я за нее пол-Москвы вырежу!

— М-да? — Было видно, что Антибиотик что-то очень быстро просчитывает в уме, взвешивая плюсы и минусы различных вариантов своего решения. Наконец он ласково улыбнулся Олегу:

— Ну-ну, не кипятись! Пол-Москвы, говоришь? Пол-Москвы не надо, лишнее это, но кое-кто в златоглавой действительно зарвался. Ну да об этом после. А сейчас...

Званцев вздрогнул от резкого телефонного звонка и сам про себя удивился предельной натянутости своих нервов. Звонок был междугородным, и инстинкт выжившего фронтовика подсказал Олегу, что звонит Гурген. Званцев хотел было встать и выйти из кабинета, но Антибиотик жестом остановил его и переключил телефонный аппарат на громкую «беструбочную» связь.

В кабинете раздался чуть искаженный расстоянием и помехами уверенный голос с плавающим грузинским акцентом:

— Приветствую тебя, дарагой! Как дыла, как здоровье?

— О! С Божьей помощью, — бодро ответил Виктор Палыч. — День добрый, а как твои дела? Как столица?

— Шумыт сталица, да...

— А как здоровье?

— Тваими малытвами, дарагой. Все слава Богу, да вот малчики твои мыня агарчили. Приехали в чужой город, панимаешь, на двух машинах, напачкали и соскочили, не прибрав, не рассчитавшись.

Антибиотик скосил глаз на Олега, который стиснул зубы так крепко, что их аж заломило.

— Так молодые, озоруют, резвятся, что им...

— Нэправильное озорство, — голос в Москве чуть загустел и приподнялся в тоне. — Ответить придется, да...

Ласковые тона в голосе Антибиотика тут же пошли на снижение:

— Зачем так сразу? Ребятки правильно поступили, от хулиганов девушку спасли.

— Э-э... Ты меня нэ понимаешь, дарагой. Хорошие луди были, да... Братва волнуется, недовольные есть, успокоить надо...

— Что ж... У нас пацаны серьезные, и тоже очень недовольны московским гостеприимством... А Катерина Дмитриевна с нами работает, обижать нельзя...

Олег снова вздрогнул. Он был готов поклясться, что не называл Антибиотику Катиного отчества.

В Москве возникла недолгая пауза.

— Пачиму мы раньше не знали, а?

Антибиотик горестно вздохнул в трубку, подмигнув Олегу:

— Все мы, к сожалению, узнаем все не сразу, а постепенно. А может, к счастью это. Я вот тоже не сразу узнал, что твои в Твери с чухонцев получают...

Видимо, для Гургена это было большим сюрпризом, потому что он замолчал. И только после длительной паузы сказал:

— Э-э... Мы поняли друг друга, дарагой. Прыятно пабиседовать с умным чэловеком, да... Будишь в Москве — для хорошего человека всегда настоящая «Хванчкара» найдется... Будь здоров, дарагой...

«Хванчкара», кстати говоря, была любимым вином Антибиотика.

— О! Ну после такого обещания — буду непременно. Как-нибудь. Только вот с делами разберусь... Удачи тебе, дорогой...

И связь прервалась. Званцев почувствовал, как под свитером его рубашка прилипла к телу. Виктор Палыч еле заметно усмехнулся:

— Ну, Адвокат, пойдем к твоей избраннице, а то она поди заждалась, тем более с дороги вы...

Когда мужчины вышли из кабинета, Катя резко вскочила с дивана навстречу. «Ну что вы, Катенька, сидите», — запротивился было Антибиотик, но Катерина увидела, что ему было приятно. Виктор Палыч ласково глядел на Олега и Катю: ни дать ни взять — посаженый отец на свадьбе, а по совместительству — опекун-затейник.

— Ну что, молодые люди, живите в радости. Отдохните чуток — и за работу.

Работать надо, а не воевать! Любовь, она ведь приходит и уходит, а кушать хочется всегда. А сейчас самое время дела делать...

У Кати комок подступил к горлу, потому что именно эту фразу точно с такой же интонацией любил последний год повторять Вадим Петрович Гончаров.

Вот так Катерина вернулась в Ленинград. Жить она стала у Олега — сначала Кате было слишком страшно ехать к матери, ну а потом... В первые дни после бегства из Москвы Олег возился с ней, как с заболевшим ребенком: никуда не отходил, кормил чуть ли не с ложечки, приволок в дом кучу разного фирменного шмотья, большая часть которого Катерине, естественно, не подошла — либо по размеру, либо по стилю. Жил Званцев теперь на Петроградской стороне в большой, но абсолютно неухоженной квартире. Поначалу, конечно, ни о каком сексе между ними не могло быть и речи — слишком силен был шок, пережитый Катей. Но мало-помалу природа начинала брать свое — им ведь было-то всего ничего, по двадцать пять лет. Однажды с утра Олег, одуревший от изнурительных ночных эротическим видений, зашел в ванную (зашел в чем спал, а спать он еще в армии привык абсолютно голым), а там Катерина в таком же наряде — душ принимать собралась — стояла, вся выгнувшись, как кошка, и хлопала глазами... Короче, душ они уже потом приняли вместе и совершенно не торопились выбираться из ванной, игнорируя надрывавшийся в прихожей телефон. В реальный мир, правда, вернуться все-таки пришлось, когда кто-то забарабанил по входной двери с явным намерением ее в конце концов высадить. Олег чертыхнулся, оторвался от мокрой стонущей Катерины и, намотав полотенце вокруг бедер, побежал открывать дверь, прихватив по привычке с тумбочки в прихожей свой ТТ.

На лестничной площадке стояли встревоженные Танцор с Доктором. Подозрительно оглядев Олега (а видок у него был, прямо скажем, странноватый — голый, мокрый, с абсолютно глупой и счастливой улыбкой и с пистолетом в руке), Доктор спросил:

— Адвокат, ты в порядке? У нас же стрелка сегодня с Ваней Витебским. Мы тебе звоним, стучим... Стряслось что?

Олег вытер рукой лоб и, не приглашая Танцора с Доктором в квартиру, ответил:

— Я это... приболел малость. Смотайтесь сами, поговорите... Ты же в курсе проблемы? А мне отлежаться надо.

И он захлопнул дверь перед обалдевшими братками, которые только покрутили головами, постояли в недоумении и потопали вниз по лестнице под аккомпанемент страстных стонов, слышных даже через двери...

Так они и зажили. На этот раз у Катерины не было никаких иллюзий относительно «работы» Олега. Она прекрасно отдавала себе отчет в том, что он был бандитом или, как тогда говорили, рэкетиром. Впрочем, говорили об этом тогда, в 1988 году, еще мало...

О Сергее они условились не вспоминать. Они знали, что Челищев работает в прокуратуре, и не хотели ломать ему жизнь своим появлением из прошлого. Антибиотик постоянно искал новые контакты в правоохранительных органах, спрашивал Званцева и Катерину об их бывших однокурсниках, но они отговаривались тем, что связи все утратили — слишком давно, мол, все это было. Виктор Палыч намекал, что для пользы дела связи-то можно было бы и возобновить, особенно если кто-то уже вырос, но сильно на Олега с Катей до поры не давил, так — посмеивался... А они твердо решили про Сергея не рассказывать.

— Пусть лучше Серега считает, что я погиб, а ты в Москве, — сказал как-то ночью в постели Олег жене на ухо. Катерина ничего не ответила, только с внезапной неприязнью оттолкнула руку Олега.

Они оформили брак лишь осенью 1991 года, когда Олег буквально припер Катерину к стенке, надоедая ей своими требованиями «оформить отношения, как у людей». Катя стала настоящим наркотиком для Званцева, он страшно ревновал ее и баловал, а она... Она вертела им, как хотела, и он, похоже, почти не догадывался об этом. Катерина стала его настоящим ангелом-хранителем. Она гораздо лучше его разбиралась в интригах теневого мира и была полностью в курсе всех дел команды Адвоката. В свое время Вадим научил ее играть по правилам «команды мастеров», а уровень Званцева на момент Катиного возвращения в Петербург еле-еле дотягивал до «первой лиги». Катя давала советы Олегу осторожно, так, чтобы не насторожить Антибиотика, который, как быстро поняла Катерина, любил управлять людьми «втемную» и не терпел рядом с собой игроков одного с собой класса. Катя старалась повысить и уровень общей культуры Званцева, буквально заставила его читать книги, таскала по выставкам и театрам. Братва посмеивалась над переменами в образе жизни Адвоката, но лишь за его спиной, потому что заводился Олег моментально, особенно если улавливал хоть малейший намек на насмешку над Катериной. А заводки Адвоката могли кончиться для шутников очень печально, и все это хорошо знали, благо пара прецедентов, как говорится, имели место быть... Катя, впрочем, быстро сама «вошла в авторитет», потому что не раз и не два уберегла Званцева и его братков от реальной опасности там, где ее даже не видели... Братва привыкла называть Катю Катериной Дмитриевной, хотя многие из боевиков Адвоката были старше его самого и его красавицы жены.

Привык Званцев слушаться Катю, и все у него шло хорошо, богател он, «поднимались» и его люди, но... В начале 1992 года Антибиотик «подвинул тему», связанную с загадочным препаратом, который назывался альфа-фетапротеином. Был якобы этот препарат каким-то чудодейственным лекарством от рака или необходимым элементом для этого. На Западе синтез альфафетапротеина был затруднен тем обстоятельством, что для его производства требовалась кровь эмбриональных младенцев (то есть, грубо говоря, выкидышей или абортных эмбрионов). Законодательства большинства западных стран запрещали использовать массу даже мертвых эмбрионов для легального синтеза лекарств. Ну а в России такого добра было навалом, особенно в первые голодные и трудные девяностые годы. Нашелся и химик-самоучка, который открыл какой-то совершенно уникальный метод синтеза. «Протеиновая лихорадка» захлестнула Ленинград. За препаратом и ученым-химиком гонялись чуть ли не все городские группировки, большие люди из милиции и УМБР, серьезные дяди из мэрии. Слишком высока была цена. Речь шла о миллионах долларов. Вписался в эту гонку и Антибиотик, пристегнув к ней Олега. Как могла, Катерина отговаривала его от участия в этой странной истории. Чувствовалось, что слишком много игроков бежит за мячом. Да, видно, надежда на близкие легкие миллионы затмила Званцеву глаза. Через два дня после удачных, как посчитал Олег, переговоров с химиком Адвоката и почти всех его ближайших братков задержало ОРБ, обвинив в вымогательстве. Петербургская прокуратура избрала для Званцева и его коллег меру пресечения — содержание под стражей.

Катя осталась одна. Нет, конечно, всю группировку ОРБ не смогло взять, а уж тем более не смогли они добраться до Антибиотика. ОРБ срубило верхушку, на свободе остались одни быки да чудом избежавшие ареста Доктор с Танцором. Все дела упали на Катины плечи. Антибиотик при встречах, конечно, предлагал помощь, но Катя отказывалась, говорила, что справится, а Виктор Палыч поглядывал на нее хитро и посмеивался. Изучал ее Антибиотик, тестировал, реакцию снимал, и неприятно было Кате ощущать это изучение.

Связь с сидящим в «Крестах» Олегом была постоянной и устойчивой, но все равно находящийся в камере Адвокат был совсем не то, что Адвокат на свободе: Катерина чувствовала уже направленные на «объекты» группировки Олега волчьи взгляды конкурентов. Да и глаза Антибиотика стали ей нравиться все меньше и меньше. Кате срочно нужна была умная поддержка, а не просто тупая преданность «братков». И в этот момент Олег передал из «Крестов», что встретил там Челищева.

...Пауза явно затягивалась. Катя стояла неподвижно, но Сергей каким-то внутренним зрением видел, как корчится от отчаяния и боли ее душа.

— Слишком много мне нужно тебе рассказать, Сережа, чтобы объяснить все, что с нами случилось за эти годы. А тайны... Да, они есть, и не только у меня и Олега. Есть еще и чужие тайны доверившихся нам живых и мертвых уже людей. И чтобы рассказать их тебе — просто доверия мало, потому что секреты бывают опасны для того, кто их узнает. И я не знаю, готов ли ты к таким рассказам.

Сергей хмыкнул и расправил плечи. Вид растерянной, слабой, испуганной Катерины придал ему уверенности в себе и ощущение собственной значимости. Интересно, сколько миллиардов мужиков, начиная с Адама, попадались на такие вот женские штучки? Вечная, как жизнь, история.

— Я адвокат, Катюша... А стало быть, имею некий опыт хранения чужих тайн.

Сергею показалось, что Катя вздрогнула, когда он назвал себя адвокатом.

— А что касается доверия... После того, как убили моих родителей, со мной остались только вы двое — Олег и ты... В памяти моей... Я вас так часто вспоминал. А тут выясняется, что вы оба живы и все время рядом были.

«Да что же она все время вздрагивает?» — удивился про себя Сергей и автоматически, по въевшейся в кровь следственной манере сменил тональность разговора, чтобы разрядить психологически накалившуюся атмосферу.

— По каким делам Олег в «Кресты» залетел? — довольно сухо поинтересовался Челищев.

— Его подставили... Ты же его знаешь — он в каждой бочке затычка. А после Афгана совсем стал...— Катерина махнула рукой.

— Катюша, в «Крестах» просто так не сидят...— опять же по-следовательски начал было Сергей, но, встретившись глазами с Катей, осекся.— Ладно, под что его подставили?

— Под 148-ю.

— Понятно... Нормальная бандитская статья, — хмыкнул Челищев и испытующе глянул на Катерину. Она закурила сигарету и посмотрела Сергею в глаза холодно и властно.

— Сережа, я не на допросе у тебя. Не надо. Ты не хуже меня знаешь, что сейчас без помощи бандитов никакой бизнес невозможен. И ты достаточно умен, чтобы понять, кто смоделировал, кто создал такую ситуацию. Когда явление становится таким массовым — это уже не просто закономерность, это уже объективная необходимость...

— Ну и кто же это все смоделировал? — Сергей несколько растерялся от Катиного напора.

— Те, у кого власть.

— Демократы, что ли? Жиды с масонами?

— Сережа! Не надо ерничать. Какие демократы, где ты их видел? Неужели ты всерьез думаешь, что эти клоуны в телевизоре что-то решают? Реальная власть была и остается совсем в других руках. Да ладно, об этом можно бесконечно говорить. Ты спрашивал, почему мы с Олегом не нашли тебя раньше? Наверное, ты сам догадываешься, почему. Мы не хотели лезть в твою жизнь, потому что контакты с нами могли реально помешать твоей карьере. Да, если говорить прямо, не все то, через что пришлось пройти нам с Олегом, укладывается в рамки закона. Но ведь этот закон сам ни в какие рамки не укладывается и ни в какие ворота не лезет, а те, кто должны его блюсти и охранять, сами же вынуждены нарушать его же чуть ли не чаще всех остальных — и именно чтобы охранять закон... Ты же сам все это знаешь! Что, не так, скажешь?!

Сергей молча опустил взгляд. Катерина словно читала давно мучившие его мысли.

— Катя, не надо меня за советскую власть агитировать. Для меня всегда было важнее не формальное соблюдение Закона, а злодей человек или нет.

— Мы с Олегом не злодеи.

Челищев усмехнулся и покрутил головой.

— Ладно. Давай не будем размазывать кашу по чистой скатерти, — процитировал он любимые с детства «Одесские рассказы» Бабеля. — Что нужно от меня?

Катя моментально вспыхнула, и Сергей сразу же поправился:

— Ну, я не так выразился, не цепляйся к словам... Что я могу сделать?

Катерина подошла к Челищеву совсем близко и заглянула в глаза.

— Нам нужна помощь. Точнее, мне нужна помощь. Олег в тюрьме, и там все делается, чтобы вытащить его поскорее... Но я осталась здесь одна. А надо делать много разных дел, которые мне просто не сделать самой, я же женщина все-таки... — Ее голос дрогнул, и Челищев инстинктивно полуобнял ее.

— Мне просто нужен рядом человек, которому бы я доверяла, которому доверял бы Олег, человек умный и смелый.

— Так что делать-то нужно?!

— А как я могу тебе сказать, если не знаю, согласишься ты или нет?!

— Слушай, Катя, это бред какой-то. На что соглашаться-то мне? На сделай то, не знаю что?

Катерина надулась.

— На то, чтобы помочь друзьям, если ты нас таковыми еще считаешь... Не обижайся, Сережа. Но решение — с нами ты или нет — тебе действительно придется принимать немного... вслепую. Я уже говорила, что речь идет не только о моих личных женских тайнах.

Сергей чуть отстранился от Катерины и достал сигарету. Разглядывая поднимавшийся к потолку дымок, он попытался сконцентрироваться и просчитать ситуацию.

«Итак, что мы имеем, когда жарим гуся? Мы имеем бывшего следака Челищева, который стал паршивым адвокатом. Который в полном говне. И мы имеем его друзей, вокруг которых даже ежу заметен некий густой бандитский душок. С другой стороны, бывший следак Челищев, помнится, сам лез в адвокаты, чтобы, так сказать, войти в соответствующую среду. Потому что в том, кто убил моих... В общем, нового-то нет ничего... И шансов нет никаких. Кроме этого...» — Такие примерно мысли вертелись в голове Сергея, но полностью сконцентрироваться он так и не смог, мешало ему что-то, может быть, пристальный взгляд Катерины. На самом деле, размышляя, он обманывал сам себя. В душе он уже практически все решил, когда увидел в «Крестах» Олега. Ну а когда встретил Катерину, все стало однозначным. Поэтому колебания и размышления Челищева были не более чем... соблюдением приличий, что ли... Скрываемые от самого себя попытки сохранить лицо.

— Ладно, была не была! Надеюсь, речь не пойдет о похищениях христианских младенцев для отправления соответствующих обрядов в промышленных масштабах? — Шуткой Сергей попытался сгладить остроту момента, но Катя опять как-то странно на него посмотрела, явно не оценив юмор.

— Слушай, Катюха, ты какая-то вся дерганая стала, прямо ужас! Шуток совсем не понимаешь... Согласен я. Мне надо что-нибудь подписать кровью?

Катя вздохнула и обессиленно привалилась к стене.

— Знаешь, Сереженька, когда такие нервы — шутки действительно плохо доходят. Я очень рада, Сереженька. Я, правда, очень рада.

Сергей снова покрутил головой.

— Ну а когда же мне начнут поверять жуткие тайны?

— Ты зря смеешься... Жути-то действительно хватает... И... Я буду тебе все постепенно рассказывать и объяснять, но ты только не торопи меня... Информацией можно отравиться, как едой, если долго голодал. Надо по чуть-чуть, понемногу... Помнишь «Любовь к жизни» Джека Лондона? — Катя усмехнулась с непонятной Челищеву горечью, потому что вспомнила, как десять лет назад она услышала эти слова от Вадима.

Часть III

БАНДИТ

На следующий день после разговора с Катей Челищев отправился в областную коллегию адвокатов решать вопрос об отпуске по семейным обстоятельствам.

Ланкин встретил Сергея радушно и даже предложил угоститься долькой разрезанного на шесть частей огромного яблока, лежавшего на аккуратной салфеточке на рабочем столе Семена Борисовича.

— Угощайтесь, коллега, — повел рукой Ланкин, — в яблоках масса витаминов.

С минуту они жевали яблочные дольки, внимательно глядя друг другу в глаза. Обрамленные золотой оправой очков глаза Ланкина выражали многовековую скорбь древнего народа. «Известный русский адвокат родился в бедной еврейской семье», — вспомнил старую шутку Челищев, едва сдержав улыбку.

Семен Борисович, дожевывая, взглянул на свой скромный «Ролекс» и сказал:

— Ну-с, коллега, я в курсе ваших проблем, и мы, конечно, пойдем вам навстречу. Случай неординарный, мне сообщили... Все необходимые бумаги мы подготовим... Я надеюсь... — Ланкин многозначительно умолк, а Сергей тут же кивнул:

— Конечно, конечно, Семен Борисович!

Хотя, по большому счету, Челищев не слишком понял, на что надеется Ланкин и что он сам имел в виду под «конечно».

Впрочем, размышлять об этом у Сергея не было ни времени, ни особого желания. Он торопился на встречу с Катериной.

Катя ждала его на Кировском проспекте, сидя в «мерседесе» напротив входа в оздоровительный центр. Челищев слышал об этом шикарном заведении, где за всю его месячную следовательскую зарплату можно было один раз позаниматься на фирменных тренажерах, помлеть в руках симпатичных массажисток, попариться в сауне и позагорать в солярии в любое время года. Нет, пожалуй, на все эти услуги сразу зарплаты бы не хватило.

Катя выпорхнула из «мерседеса», подхватила Сергея под руку и повела его в мир зеркал, чистоты и здоровья.

Два амбала в вестибюле резко вскочили с диванчика и по-военному преданно вылупили глаза на Катерину. Она, не глядя на них и не останавливаясь, бросила:

— Передайте Карине, что мы ждем ее в баре!

Стойка бара и два белых пластмассовых столика располагались перед круглой чашей бассейна, наполненного голубовато-синей водой. Или это плитка в бассейне была голубой и так подсвечивала воду? Сергей раньше в таких местах не бывал и поэтому слегка растерялся. Катерина же, напротив, чувствовала себя свободно и уверенно, как в своем доме.

— Мне смородиновый чай без сахара и... Сережа, ты что будешь?

— Кофе. Большую чашку. С сахаром...

— Слышал? — спросила Катя у аккуратного маленького барменчика, суетливо выбежавшего из-за стойки. — Поторопись, дружок, у нас еще дел много.

— Ся-се-ся, — пролепетал барменчик и исчез. Его реплика, судя по всему, должна была расшифровываться то ли как «сейчас», то ли как «сей момент»... Пока Сергей, улыбаясь, размышлял об этом, дымящиеся чашки уже возникли на столе, опередив на полсекунды появление сахарницы, вазочки с печеньем, пепельницы и большого стакана с холодной прозрачной водой. Сергей подозрительно оглянулся, но никого, кроме маленького барменчика, не увидел.

Катя засмеялась, довольная произведенным эффектом:

— Жорик у нас мастер, мог бы эквилибристом в цирке работать.

Жорик скромно потупился, растворился в воздухе и вновь материализовался за стойкой бара.

— Здравствуйте, Катерина Дмитриевна!

Сергей оглянулся. К ним стремительной походкой гимнастки шла высокая брюнетка, чью «обалденную», как сказал себе Сергей, фигуру плотно облегали «найковские» короткие штанишки и тончайшая белая майка. Катя, ревниво перехватив взгляд Сергея, тут же откликнулась:

— Привет, Кариночка, замечательно выглядишь! Как твое колено поживает?

— Спасибо, Катерина Дмитриевна, Дюссельдорф просто чудо, и врачи — настоящие волшебники...

Карина стояла перед ними, сцепив пальцы рук за спиной. Сесть ей Катя предложить как бы забыла.

— Ну, рассказывай про свои проблемы.

Карина еле заметно повела бровью в сторону Сергея. Катя сделала нетерпеливый жест рукой:

— Это Сергей Александрович, наш старый проверенный друг. Давай, я слушаю...

Брюнетка приятно улыбнулась Сергею и защебетала:

— Опять Рамазан беспредельничает, Роксану обидел, про какие-то проценты говорить стал...

— Ну, про Роксану-то я знаю, слышала. Сама виновата. Сначала ноги нараспашку, а потом слезки лить!

— Но Рамазан здесь не прав... И его намеки на проценты...

— Ладно, милая, — перебила ее Катя, — мы эту проблему решим. Вот как раз Сергей Александрович этим займется. А сейчас не время и не место... У тебя все?

Сергей с удивлением смотрел на Катерину. Такой — деловой, жесткой, что называется, «конкретной» — он ее видел впервые.

Катерина поднялась, кивнула Карине и сказала Сергею:

— Пойдем? В машине договорим, у меня сегодня день — просто сумасшедший...

За рулем «мерседеса» сидел тот самый тип, который отвозил Челищева к Кате.

Всем своим видом он показывал, что ничто в этой жизни его удивить уже не может. Катерина с Сергеем расположились на заднем сиденье. Катя закурила и стала негромко рассказывать.

— Рамазан этот когда-то совсем заморышем был, на ржавой «копейке» ездил. Мы ему помогли, а он обнаглел, от рук отбиваться стал, а когда Олег сел — совсем забыковал... Отморозков каких-то собрал вокруг себя, считает, что сам теперь вопросы решать может. А Роксану эту, дурочку, он на телевидении подобрал, на конкурсе красоты. Любовь с первого взгляда, цветы, шампанское... А потом в Швецию отвез и там пустил ее по рукам своих «бычков». В итоге девка в тамошних массажных кабинетах горбатится по двести крон за сеанс. Праздник кончился, дворники снимают флаги. И все бы ничего, но папа у нее — шишка в мэрии, стал на милицию давить... Ну, как эти работают — ты знаешь. Им до Швеции не дотянуться, так они на Карину наезжать стали, чушь какую-то мелют про сводничество, про притоны — короче, нервы мотают и деньги вымогают... Нам скандалы ни к чему. Нужно уладить все как-то по-тихому и заодно Рамазана этого на место поставить. Выручишь, Сережа?

Сергей недоуменно пожал плечами:

— Так я-то что могу сделать, если милиция? В Швецию ехать? Так у меня даже загранпаспорта нет...

— Загранпаспорт — это не проблема, кстати, — Катерина вытащила из сумочки ежедневник в обложке из бордовой кожи и что-то там пометила, — и в Швецию ехать не надо. Пока. А что касается милиции и ее желания восстановить справедливость — понимаешь, Сереженька, мы живем в стране, где не закон определяет справедливость, а зеленый цвет доллара. Вот ты умница и законник...

Челищев, раздраженный какими-то снисходительными нотками в голосе Катерины (да еще в присутствии амбала за рулем), резко перебил ее:

— Я не женщина, чтобы комплименты слушать...

Но Катя, не теряя темпа и инициативы, в свою очередь перебила его:

— А я не шоколадку хочу тебе в рот положить, а прошу помощи, как у человека, который способен принимать самостоятельные решения. Если Рамазану позволить обижать тех людей, которые нам верят, то завтра он будет ставить на колени Олега, а послезавтра полезет в постель ко мне, и если...

Сергей достал сигарету и махнул рукой:

— Что я должен делать?

Катя одной рукой взяла его за руку, а другой поднесла к его сигарете огонек зажигалки.

— Нужно встретиться с Рамазаном и поговорить. Жестко поговорить, место ему показать! У нас есть люди, которые могут сломать ему хребет, но это лишнее. Пусть он сначала девочку вернет.

Сергей затянулся и хмыкнул:

— Поговорить — это можно. Только я тоже нервный, хамов не люблю.

Катя улыбнулась и чуть заметно прижалась к руке Челищева.

— Я помню...

(Это было осенью 1981 года, в самом начале их второго курса, Сергей был тогда в отличной форме; в своей весовой категории — до 78 килограммов — он стал чемпионом университета по дзюдо. Однажды к Катерине прицепились какие-то мрачные типы, вполне взрослые уже дяди. Сначала Сергей, заступившись за Катю, стал драться один против четверых, а потом подоспел Олег, и все закончилось очень быстро — Челищев швырял дяденек, как кукол, на асфальт, а Олег добивал их страшными ударами рук сверху вниз. Сцена была настолько красивая, что, когда все кончилось, несколько случайных прохожих даже зааплодировали.)

«Мерседес» остановился на Невском. Катя поцеловала Сергея в щеку и погладила по руке.

— Сереженька, тут до твоего дома недалеко. До вечера. В восемь я тебя жду.

— Подожди, я даже адреса твоего не записал.

— Ничего, — Катерина кивнула на затылок водителя. — Танцор будет ждать у твоего подъезда в половине восьмого.

Несколько часов пролетели незаметно. Сергей курил сигарету за сигаретой и плавал в табачном дыму и в своих воспоминаниях. Катя, увиденная им сегодня, не походила на ту нежную девушку, которую он знал десять лет назад. Челищева смутила ее резкость, неженская жесткость, холодность. Сергей посмотрел на старую фотографию, висевшую на стене — Олег, Катя и он сам, все в стройотрядовских куртках. Что же с тобой стало, Катюша? Вглядываясь в изображение молодой Кати, Челищев понял, что его намного сильнее тянет к Кате сегодняшней.

Вечером Танцор действительно ждал у дома Сергея, но на этот раз он сидел за рулем BMW цвета морской волны.

— Ого! — сказал Челищев, усаживаясь с ним рядом. — Я смотрю, ты машины меняешь, как перчатки. И все — по возрастающей. Завтра, поди, на вертолете прилетишь?

Сергей пытался шуткой установить контакт, сломать лед отчуждения, но Танцор не торопился признавать Челищева. Он с уверенной небрежностью вел машину, выстукивая пальцами на руле какой-то сложный ритм.

— А за что тебя Танцором прозвали? Танцевать, наверное, любишь?

Танцор коротко глянул на Сергея, и его от этого взгляда словно ледяной волной окатило. Страшные у Танцора были глаза, остановившиеся, будто неживые...

— Да так... Братва прозвала...

У Челищева пропало желание продолжать разговор. К тому же они уже ехали по Петроградской стороне.

Катерина приготовила Сергею сюрприз. В гостиной на диване были разложены черные слаксы из плотной хлопковой ткани, пестрая шелковая рубашка, темно-синий пиджак свободного покроя, мягкие кожаные туфли и длинная черная куртка из прекрасно выделанной кожи.

— Примерь, Сереженька, — улыбнулась явно довольная собой Катерина. Однако улыбка ее быстро погасла, натолкнувшись на сердитый взгляд Челищева.

— Я тебе что — клоун, чтобы маскарады всякие устраивать?

Катерина вспыхнула.

— Да с тобой, Сережа, видно, как с маленьким возиться нужно, все объяснять и разжевывать! Встречают, как ты знаешь, по одежке и только провожают по уму... Тех, кто до проводов доживает... Ты когда в прокуратуре служил, мундир носил — ничего, не надорвался? Хотя он тебе, наверное, не казался верхом модельерного искусства? Так и это, — Катерина кивнула на диван. — Спецодежда, если угодно. Можешь в свободное время ходить в чем хочешь, хоть в ватнике! А на работе — будь любезен, соответствуй!

Катерина возмущенно передернула плечами и отвернулась. Сергей неловко переступал с ноги на ногу, с неудовольствием понимая правоту ее слов.

— Ну ладно, Катюха, не заводись... Ну, не подумал я. Да и денег у меня нет, чтобы за все это барахло рассчитаться...

Катя подошла к Челищеву, посмотрела на него жалостливо, как на тяжелобольного, и сказала спокойно:

— Знаешь, по-моему, сегодня не твой день. Ты что ни скажешь — хоть стой, хоть падай... Расслабься, Сережа! Мы же свои, не чужие... Ну что ты колючки все время выставляешь, словно еж какой-то?

Катерина подошла совсем близко и положила Сергею руки на плечи. Нет, не то чтобы обняла — а так, положила. У Челищева от близости ее губ и груди стало перехватывать дыхание. И глаза. Не глаза, а какие-то зеленые водовороты, Сергей глянул в них — и словно за барьер какой-то попал, сам не заметил, как тонуть начал. Из оцепенения его вывел голос Кати:

— А за одежду — платит фирма. За спецодежду! — Она засмеялась, довольная результатом короткого соревнования в гляделки.

— Через полчаса ко мне придет мой мастер. Тебе нужно сделать нормальную стрижку, а то ты весь, как папуас прямо. И усы тебе ни к чему, они тебя старят! Давай, пока его нет — по чашечке кофе, а потом — будем из тебя нового человека делать!

Сергей, махнув на все рукой, пошел за хохочущей Катериной на кухню. Пожилой парикмахер-армянин долго колдовал над волосами Челищева в огромной ванной комнате с черным кафелем и зеркалами. У Кати в этой комнате стояло настоящее косметическое кресло с фенами и какой-то еще электроникой, которую Сергей видел впервые.

Закончив, парикмахер аккуратно стряхнул остриженные волосы Сергея на пол и сказал:

— Теперь я рекомендую — в душ. Все волосы все равно не вытряхнешь.

Сергей пожал плечами и обреченно кивнул. Пока он плескался под меняющей направление и мощность струей, ему показалось, что кто-то зашел в ванную, покрутился в ней и вышел, но из-за плотной занавески Сергей не смог увидеть, кто это был. Когда он, вытершись, вылез из ванной, то обнаружил, что старая его одежда, включая белье и носки, куда-то пропала, а вместо нее на косметическом кресле лежат обновки.

Сергей причесал влажные остатки волос и начал неторопливо одеваться. Закончив, он подошел к огромному, в полстены, зеркалу и чуть не отшатнулся. На него смотрел огромный (видимо, зеркало чуть увеличивало) незнакомый парень, чья одежда, прическа и глаза оставляли очень мало места для фантазий по поводу его рода занятий.

— Вот это да-а! — прошептал Челищев, глядя на свое отражение, и недоверчиво провел пальцем по верхней губе, которую еще полчаса назад украшали усы. Двойник повторил его движение, и только тогда Сергей окончательно уверился, что видит в зеркале себя.

Катерина, увидев преобразившегося Сергея, чуть не упала.

— Ну, знаешь! — с каким-то испугом сказала она Челищеву. — Ну-у!.. А еще говорят, что не одежда красит человека... Подожди, я сейчас! — И Катя убежала в спальню. Через пару минут она вынесла оттуда массивную золотую цепь с крестом, украшенным рубинами.

— Надень-ка... Это Олега... Он против не будет... А тебе надо — для завершения образа по системе Станиславского.

У Сергея шевельнулось какое-то воспоминание о плохой примете — что, мол, нельзя чужой крест примерять... Но в этот момент Катя потянулась застегивать цепь у него на шее, коснулась его своей грудью, и неприятный осадок рассеялся.

Катя и Сергей подошли, держась за руки, к старинному зеркалу и оттуда долго и с удивлением рассматривали друг друга. До чего же красивая в том зеркале стояла пара!

Утром следующего дня Сергей поехал на «стрелку» с Рамазаном. За рулем сидел Толя-Доктор, на заднем сиденье расположились Саша-Танцор и некто Гусь, долговязый парень с нервным лицом, бросавший на Челищева время от времени неприязненно-недоверчивые взгляды. Узнав, что местом встречи выбрано кафе-мороженое на улице Марата, Сергей хмыкнул, вспомнив о неравнодушном отношении Доктора к мороженому. Похоже, о месте стрелки договаривался именно он, решив совместить приятное с полезным. В машине стояла напряженная тишина, несколько разбавленная мягким шуршанием шин по асфальту. Ухабы и рытвины почти не чувствовались.

— Да, хорошая машинка BMW, — глубокомысленно заметил Челищев, пытаясь завязать разговор.

Толик-Доктор важно кивнул и «расшифровал» эту аббревиатуру, правда, по первым двум буквам: «„Боевая машина братвы". Классная тачка».

Народа в кафе было немного. Сергей сел за столик у окна, Танцор с Доктором взгромоздились на высокие табуреты у стойки (Доктор сразу заказал себе двойную порцию мороженого с тертым шоколадом и орехами), а Гусь подошел к каким-то девчонкам у самого входа. Сторонний наблюдатель вряд ли сразу бы определил, что все четверо — одна, так сказать, компания. Минут через пять у дверей кафе завизжали тормоза. В зал уверенно-неспешной походкой вошел брюнет лет тридцати с чуть раскосыми глазами. Двое его спутников остались у входа неумело изображать нетерпеливых влюбленных, поглядывающих на часы. Краем глаза Челищев заметил волчью усмешку Танцора, который, казалось, увлеченно изучал витрину бара. Брюнет огляделся и пошел к столику Челищева. Шаги его были уверенными, но Сергей сразу отметил наметившуюся рыхлость его фигуры и некоторую нервозность или, скорее, недостаточную плавность движений. «А ты, батенька, похоже, наркуша», — подумал Сергей, и в этот момент брюнет плюхнулся без приглашения за стол.

— Я Рамазан. Ты что хочешь?

Сергей с любопытством глянул в желтоватые глаза Рамазана. Зрачки у него, как и ожидал Челищев, были расширенными. Челищев усмехнулся и сказал:

— Когда к людям за стол садишься, разрешения нужно спрашивать.

Рамазан дернулся и наклонился вперед:

— Ты че мне уши полощешь, фраер?!

Сергей приятно улыбнулся и негромко сказал:

— Тормози. Ты зачем сегодня пришел, помнишь?

Рамазан откинулся назад и прищурился:

— Ты че, от Адвоката, что ли?

Рамазан был плохим психологом. Иначе он заметил бы, как в самой глубине глаз Челищева начали разгораться холодные черные огоньки.

— Страви пар, говорю! С тобой люди говорят.

Рамазан снова качнулся вперед:

— Слышь, ты, у нас с Адвокатом все перетерто. Какие еще проблемы? А Роксану мы берем себе, Адвокат мне должен.

Сергей тоже наклонился вперед.

— Проблема в том, что я тоже адвокат. И мне ты совсем не нравишься. И будешь нравиться еще меньше, если не оставишь в покое Карину. Она с нами работает, поэтому ее ущерб — он наш. Ей к завтрашнему двадцать тонн баксов отдашь и Роксану вернешь — послезавтра крайний срок. А если вздумаешь...

Договорить Сергей не успел. Рамазан, слушавший его сначала с удивлением, вдруг зашипел. В уголке его перекошенного рта появилась слюна. Боковым зрением Челищев заметил, как ринулись в кафе «влюбленные», как, пригнувшись, встал со своего стула Гусь и как подобрались, словно псы перед прыжком, Танцор с Доктором. Рамазан выбросил вперед правую руку с неведомо откуда взявшимся длинным узким ножом, но Сергей автоматически сблокировал его движение кистью левой руки, сделал ею легкое движение, заворачивая руку Рамазану, и ударил ребром ладони своей правой по пальцам, обхватившим рукоятку ножа. Нож еще не успел упасть на пол, когда Сергей, продолжив движение правой руки, ударил локтем Рамазана сначала в ухо, а потом — сверху вниз по затылку. Лицо Рамазана расплющилось о полированную поверхность стола, а сам он начал медленно сползать на пол. Как в замедленной съемке, Челищев увидел рвущихся к нему «влюбленных» и приготовился встретить их. Однако один из этих «быков» вдруг резко выгнулся от удара, который нанес ему Гусь ногой сзади, и начал падать вперед, а второй наткнулся лицом на початую бутылку шампанского, которую Танцор схватил со стойки бара за горлышко и с разворота выбросил по большой дуге в сторону «влюбленного». Бутылка разбилась, остатки шампанского смешались с кровью, и второй «бык» упал навзничь на пол почти одновременно с первым. Пару секунд в кафе было очень тихо, а потом пронзительно заверещала барменша.

Толя-Доктор медленно поднял голову и взглянул ей в глаза. Барменша, сильно накрашенная женщина лет тридцати пяти с гаком, сразу же замолчала, как будто кто-то щелкнул выключателем звука. Доктор неторопливо достал купюру из кармана и положил ее на стойку бара:

— За беспокойство. В ментовку не звони, сожжем. — И, утратив интерес к мелко закивавшей женщине, он повернулся к залу. В кафе было очень тихо. Посетители сидели неподвижно, словно манекены. Челищев наклонился к скорчившемуся на полу Рамазану и, сам удивляясь своей холодности и ясности рассудка, тихо сказал:

— Завтра рассчитаешься с Кариной, послезавтра Роксана должна быть дома. Иначе тебе будет совсем плохо. Слышишь, мразь?!

Сергей шевельнул носком ботинка голову глухо застонавшего Рамазана, выпрямился и спокойно вышел из кафе.

Когда садились в машину, Сергей отметил потеплевшие глаза Танцора и Доктора. Доктор даже улыбнулся ему:

— А ты в порядке, Адвокат!

И, увидев невысказанный вопрос во взгляде Танцора, пожал плечами:

— А че? Он — тоже Адвокат.

И только Гусь смотрел в спину Челищеву такими же холодными глазами, как на отморозков Рамазана...

Через два дня улыбающаяся Катерина сообщила Сергею, что Роксана уже дома у родителей, Карина получила компенсацию, а по всему Питеру только и говорят про разборку на Марата. Сергей в ответ смущенно отвел взгляд. Но Катя смотрела на него такими сияющими глазами, что он не выдержал и улыбнулся. Улыбка, правда, получилась чуть горькой.

А Рамазан исчез. Его больше не видели ни в Москве, ни в Питере. Знающие люди на вопрос, куда он делся, усмехались и отвечали коротко: «В Анголу уехал...»

Незаметно пролетела неделя. Сергей уже привык с утра ездить вместе с Доктором и Танцором к Катерине на Петроградскую и мотаться с ней по городу целый день. График у Кати и впрямь был очень плотный. Она ездила по каким-то банкам, фирмам, заезжала на склады и товарные станции. Самое удивительное было в том, что, проводя фактически целые дни рядом, они не имели времени поговорить не о делах. А вечерами Катя Сергея к себе не приглашала, казалось, что она как-то побаивается, смущается оставаться с ним наедине, опасается каких-то вопросов и разговоров с глазу на глаз. Сам же Челищев тоже не набивался в гости, потому что чувствовал, что тянет его к Катерине все больше и больше, а она была женой его друга, который к тому же сидел в тюрьме.

Вечерами Челищев вновь и вновь ломал голову над загадкой странной гибели своих родителей, несколько раз порывался рассказать все Катерине, но каждый раз передумывал, видя, что у нее от своих проблем голова пухнет. Как-то раз Сергей предложил свои услуги, чтобы разобраться с делом Званцева, но Катя покачала головой:

— Нет, Сережа, сейчас это тебе не надо делать. Мы пытаемся решить вопрос по-другому, надежнее. И адвокатов там хватает, пусть работают, дармоеды. Ты мне больше всего помогаешь сейчас тем, что рядом. Ты не представляешь, насколько мне с тобой стало спокойнее. Осматривайся пока, входи в тему, не торопись, Сереженька.

Пару раз Катя передавала Сергею короткие приветы от Олега, мол, спасибо, брат, что поддерживаешь в трудную минуту, скоро увидимся. И все.

Катя, конечно, рассказала Сергею историю гибели и воскрешения Званцева, и Сергей в тот вечер сильно напился. Он злился на Олега за то, что тот не повторил своей попытки поговорить с ним тогда, в ноябре 84-го, и казнил себя, не узнавшего восемь лет назад друга в угрюмом солдате, молча сидевшем на их потайной лавочке. Всю ночь Челищева мучили кошмары, в которых прошлое смешивалось с настоящим, и утром Сергей проснулся совершенно измученный. Приехавший утром Доктор не дождался Сергея в машине и, в конце концов, поднялся к двери в квартиру. Увидев покрасневшие глаза Челищева и его помятое лицо, Толик ничего не сказал, только покрутил головой. Сказала все Катя — чуть позже.

Сев в «мерседес», она сначала принюхалась, а потом отослала Доктора за каким-то пустяком в магазин. Едва Толик захлопнул за собой дверцу, Катерина резко обернулась к Челищеву:

— По какому поводу праздники?!

Сергей, морщась от головной боли, раздраженно ответил:

— Ты мне что, еще нотации читать будешь? Мы не в школе...

Катя чуть не взорвалась от ярости:

— Нотации?! Спасибо, Сережа! Спасибо тебе за твою надежную спину! Мне рядом нужен человек с трезвой головой и хорошей реакцией, а не трясущаяся хронь! Ты посмотри на себя! С таким лицом на улицу выходить стыдно, а не то что с серьезными людьми разговаривать! Про запах я уж не говорю...

Сергей, которого после кошмарной ночи бросало то в пот, то в дрожь, тоже повысил голос:

— У тебя рядом хватает разных... с реакцией получше, чем у меня! А ты таскаешь меня за собой, как пуделя, неизвестно зачем! Все время говоришь, что это такая удача, мол, что мы встретились... А на самом деле — я у тебя вместо мебели...

Катя вдруг совершенно успокоилась и даже заулыбалась:

— Нет, ты как маленький... Ну, мне же нужно, чтобы ты немного адаптировался, чтобы люди к тебе привыкли, чтобы ты примелькался, что ли. Чтобы не делал дикие глаза при важных разговорах и чтобы сам правильно говорить научился... Я же объясняла уже, Сереженька, ну что за нетерпение!

И Катерина, сменив окончательно гнев на ласку, вдруг придвинулась к Челищеву очень близко и взъерошила ему волосы. Сергей замер. Его всегда удивляло, как странно действует на него похмелье. Вроде и тошнит, и голова кружится, и дрожь пробирает, а при этом при всем — совершенно чудовищное сексуальное возбуждение. Андрюха Румянцев когда-то высказался по этому поводу так: «В часы похмелья организм близок к смерти и потому торопится реализовать инстинкт продолжения рода...»

А тут еще на общепохмельное возбуждение наложилось то, что рядом с Челищевым была Катерина, волновавшая своим телом, запахом нежных духов, своей притягательностью... Она, словно специально поддразнивая Сергея, начала нашептывать ему в самое ухо, чуть ли не касаясь его языком:

— Я, Сереженька, как раз сегодня хотела сказать тебе, что у нас ужин. С одним человеком, от которого очень многое зависит. И после разговора с ним для тебя как раз могут начаться конкретные дела... Поэтому надо быть в форме. У нас вообще пьянствовать не принято, понимаешь?.. Пьют те, кому терять уже нечего и работать не хочется, но ты же не хочешь быть таким, правда?..

Сергей с ужасом подумал, не вникая в смысл нашептываемых Катериной слов, что если она еще немного так пошепчет, то он просто кончит прямо в штаны и все... От конфуза его спасло возвращение Доктора, который удивленно осмотрел примолкших и раскрасневшихся Катю и Сергея и деловито спросил:

— Куда едем, Катерина Дмитриевна?

Катя секунду помедлила с ответом, а потом решительно сказала:

— На Кировский, к Карине! У нас сегодня день здоровья будет. Отвезешь нас, а я тебе напишу, к кому заехать и что передать надо, извинишься, скажешь, небольшие форс-мажорчики возникли...

В оздоровительном центре Карины Челищева и вовсе разморило. Катя распорядилась, чтобы Сергею сделали часовой массаж, и упорхнула в женскую раздевалку, бросив на ходу: «Встретимся в сауне, Сереженька». Сереженька тем временем с отчаянием в душе размышлял о том, что близости Кати в сауне (а там, как подсказывала Челищеву смекалка опытного следователя, люди не в тулупах сидят) он может и не выдержать. Но он не выдержал гораздо раньше, в массажном кабинете. Делать ему массаж явилась лично Карина, и это было уже слишком для здорового мужика. Минут пять Сергей терпел нежные прикосновения ее пальцев к своей спине, а потом крыша у него съехала напрочь, он зарычал, отшвырнул полотенце и повалил Карину прямо на пол... Справедливости ради надо отметить, что она поначалу даже немного посопротивлялась, чем завела Сергея еще больше... Да и себя саму, похоже, тоже... Карина зажимала себе рот полотенцем, видимо, боялась, что ее крики и стоны могут услышать. Она кончила несколькими секундами раньше Сергея. Потом они долго лежали молча. К Челищеву постепенно возвращалась способность соображать, и он виновато посмотрел на Карину,

— Слушай, ты это... Не сердись... Я... Сам не знаю как вышло, прямо накатило, и все...

Карина улыбнулась с каким-то непонятным Сергею торжеством, приложила палец к его губам и шепотом ответила:

— Да чего уж там, Сергей Саныч, не кокетничайте! Вы мне еще тогда, в первый раз приглянулись... Я, конечно, такого не ожидала, но ничего — молодость вспомнила... — И она тихонько засмеялась. — Только, ради Бога, не подставляйте бедную девушку, а то если Катерина Дмитриевна узнает — она меня со света сживет...

— Тебя-то за что? — не понял Сергей, но Карина ничего объяснять ему не стала, только усмехнулась и покачала головой. Ну что толку объяснять мужику, что женщинам порой достаточно одного взгляда, чтобы угадать друг в друге соперниц, даже если одна — служанка, а другая — госпожа.

В сауну Сергей зашел уже более уверенными шагами, чем в массажный кабинет. Но глянув на Катерину, томно раскинувшуюся на средней полке в открытом красно-синем купальнике, почувствовал, как уверенность в собственной силе воли резко улетучивается. Торопливо отведя взгляд от ее ног, Челищев потуже запахнул полотенце на бедрах и полез на верхний полок.

— Ну, как массаж? — промурлыкала Катя, не открывая глаз.

— Отлично, — деревянным голосом ответил Сергей, глядя в потолок. — Просто новым человеком себя чувствую...

Некоторое время они лежали молча, а потом Сергей спросил:

— Слушай, Катюха, а что за ужин-то у нас сегодня? С каким мафиози меня знакомить будешь?

Он попытался вложить в вопрос игривую шутливость, но получилось это откровенно фальшиво, натянуто как-то, напряженно. Катя слегка нахмурилась:

— Сережка, ну где ты набрался этой детективной терминологии? Мафиози все в Италии, они там в мафии работают. А у нас мафии вообще нет. Эти сказки в милиции придумывают, чтобы собственную значимость поднять! Мол, во мы какие, с мафией воюем! На самом деле все проще. Хотя, может быть, и сложнее. Без поддержки нужных контор и нужных людей бизнес сейчас не сделаешь. Таковы реалии, как любил Горбачев говорить. И все нормальные люди это понимают, а Виктор Палыч, с которым я тебя сегодня познакомлю, понимает больше, чем кто бы то ни было. У него была сложная жизнь, но он остался человеком. Если хочешь — в чем-то выдающимся. И прозвище свое — Антибиотик — он заслужил за то, что сам в грязи и отраве не потонул, не сгинул, да еще и других вытаскивал...

— Антибиотик?! — Сергей приподнялся на локте и удивленно посмотрел на

Катю: — Я слышал о нем... Только немного другое... Вор в законе...

С Кати разом слетела вся томность, и она резко перебила Челищева:

— Говорят про всех много чего разного... Про тебя вот... Знаешь, что говорят? Что из прокуратуры тебя выгнали за пьянство, халатность и разгильдяйство...

Сергей резко спрыгнул на пол и схватил Катерину за руку.

— Кто говорит? Кто?!

Катя уже и сама поняла, что сболтнула лишнее. Глаза Челищева, почерневшие от бешенства, заставили ее инстинктивно отшатнуться.

— Да я не помню уже... Кто-то полузнакомый на какой-то презентации ляпнул... Ну это же сплетни, так всегда бывает... Сережа, руку пусти, больно!

Сергей шумно выдохнул, отпустил Катерину и, выйдя из сауны, скинул полотенце с бедер и нырнул в бассейн. Катя смотрела на него из небольшого окошечка в сауне. Но Сергей ее видеть не мог, потому что со стороны бассейна стекло окошечка было зеркальным. А лицо Катерины исказилось то ли от боли, то ли от сладкой истомы, и она медленно провела язычком по тому месту на своем запястье, которое несколько мгновений назад сжимали железные пальцы Челищева.

(Однажды, когда она еще училась в школе, на дискотеке Сергей вдруг подхватил Катю обеими руками за бока и поднял ее, не худенькую в общем-то девочку, над собой. Кате показалось, что у нее треснули ребра и остановилось дыхание... Как она тогда раскричалась на Сергея! «Не смей меня больше хватать своими ручищами! У тебя пальцы — железные, ты им меры не знаешь!» Позже, много лет спустя, ей почему-то раз за разом вспоминалась эта сцена, и она снова чувствовала пальцы Сергея на своих боках.)

Когда Катерина вышла из сауны к бассейну, Сергей уже успокоился — прохладная вода благотворно действует на нервную систему. Катя прыгнула к нему в бассейн, они начали брызгаться, играть в догонялки. Оба словно ненадолго вернулись в детство.

Перед последним заходом в сауну Сергей ворчливо (но уже достаточно добродушно) спросил:

— А где и во сколько мы встречаемся с твоим Антибиотиком?

Катерина улыбнулась и ответила:

— Время еще есть. Мы с ним ужинаем в кабачке «У Степаныча» в семь вечера. Еще успеем приготовиться... Только Антибиотик не мой. Он... Он ничей. Сам по себе. Но ты сам все увидишь...

Катя с Сергеем покинули оздоровительный центр только в середине дня. На выходе Катерина вдруг, словно вспомнив что-то, сказала Сергею:

— Я совсем забыла, мне надо Кариночке кое-что сказать, я быстро...

Она улыбнулась Сергею и легкими шагами направилась к кабинету Карины. Зайдя туда, Катерина молча посмотрела в испуганные глаза Карины и внезапно наотмашь ударила ее по лицу. Потом Катя такими же легкими шагами вернулась к Сергею.

— Пойдем, надо успеть переодеться, Виктор Палыч не любит, когда опаздывают...

Между тем тот, о ком они говорили, тоже готовился к встрече.

Виктор Палыч сидел у себя в кабинете в роскошном шлафроке и задумчиво глядел на лежавшую перед ним папку. Наконец он вздохнул и открыл ее. К первому листу досье была приклеена семилетней давности фотография Сергея Челищева. Антибиотик внимательно рассмотрел фотографию и снова глубоко задумался. Как мчится время. Он невольно мысленно окунулся в собственное прошлое. Свой первый срок Антибиотик получил в середине 50-х за карманную кражу. Ремеслу этому его обучал известнейший в Ленинграде в ту пору авторитет Яша-Золотой.

Он взял себе в подручные Витька за его малый рост и удивительно невинную внешность, чудом сохранившуюся к тринадцати годам несмотря на то, что в девять лет Витек ушел из дома от матери-алкоголички. Отец Витька сгинул без вести на войне, так и не узнав, кто родился у него — сын или дочь.

Собственно, Витек ушел из дома не окончательно, время от времени он навещал мать и ее очередных собутыльников, но долго выдержать в маленькой загаженной комнате в коммуналке на 13-й линии Васильевского острова не мог и снова и снова уходил на чердаки и в подвалы Васильевского острова и Петроградской стороны. Там, среди своих сверстников, Витек быстро завоевал авторитет парня смышленого, жестокого и, несмотря на малый рост, драк не боящегося. Во время одной из таких стычек со сверстниками его и приметил Яша-Золотой.

Золотой внимательно наблюдал всю драку, а после раздавшейся трели милицейского свистка, неспешно выбросив руку, поймал убегающего Витька за шиворот. Витек ощерился, как маленький звереныш, но Яша совершенно покорил его тем, что как взрослому, протянул ему руку и представился:

— Яша!

Золотой отвел Витька сначала в парикмахерскую, потом в баню, а потом приодел пацаненка. Через несколько часов Витька было уже не узнать — исчез хулиган из подворотни 13-й линии, а вместо него появился пай-мальчик с плаката...

Яша обучал парня премудростям воровского дела постепенно и тщательно. «Практику» Витек проходил на пьяных работягах, толпящихся у пивного ларька на 17-й линии напротив никогда не пустовавшей бани.

Через три месяца такой практики Золотой уже возил с собой в трамваях вихрастого почтительного отличника в пионерском галстуке, а через шесть месяцев начал брать Витька в Гостиный двор, где у Золотого было откуплено место у Коли-Черного, «державшего» Невский проспект. Работали Витек с Яшей на пару: Витек «щипал» карманы трудящихся, а Зо-

лотой прикрывал его на случай, если терпила* вдруг что-то заметит.

«Запалился» Витек неожиданно, запус-
тив однажды руку в карман какому-то
придурочного вида «интеллигенту» в оч-
ках и шляпе. Он вдруг почувствовал, что
вытащить обратно ее не может. В ладони
и запястье впилось что-то острое, как
оказалось позже — рыболовные крючки,
пришитые к внутренности кармана.

— Попалась рыбка, — без всякого зло-
радства, а скорее даже с какой-то грус-
тью сказал «интеллигент», снимая очки.
Этот «интеллигент» был хитрым и ушлым
опером, ведущим отлов карманников в
Гостином дворе.

Витек беспомощно оглянулся, но искать Яшу и надеяться на его помощь было
нечего — в тот день Витек решил поработать один, посчитав, что запросто может обойтись без Золотого, который всегда забирал у него девяносто процентов
добычи в общак — для пенсии, как он
говорил. На самом деле Яша складывал
денежки в какие-то одному ему извест-
ные тайники.

Золотой узнал о провале Витька только
через пару дней.

---

* Терпила — потерпевший (*жарг.*).

«Жадность фраера сгубила», — так откомментировал Яша посадку Витька. И ошибся. Первая ходка* не сгубила и не сломала паренька, а стала лишь начальной ступенькой в его стремительной воровской карьере. Лагерную жизнь Витек переносил стойко. Быстро усвоив три заповеди — «не верь», «не жалуйся» и «не проси», он сдал экзамен на выживаемость тем, что однажды втихую придушил полотенцем спящего кумовского**. Администрация доказать ничего не смогла, однако сделала все, чтобы Витек хлебал лагерную баланду как можно дольше. Позже, уже после перевода во «взрослый» лагерь, Витька приблизил к себе известный вор Дядя Вася, который и окрестил паренька «Антибиотиком».

Второй срок Антибиотик начал мотать в самом начале шестидесятых, глупо сгорев на квартирной краже. Вернувшийся неожиданно в свою квартиру двухметровый амбал-хозяин долго бил щуплого жулика, а потом надел ему мешок на голову и отнес воришку в милицию.

На втором сроке Антибиотик на всю жизнь усвоил еще одну премудрость. «Ра-

---

* Ходка — арест, попадание в зону (*жарг.*).
** Кумовской — доносчик, стукач в зоне (*жарг.*).

ботать нужно в коллективе, — учил его вор из Казани Рашпиль. — Хочешь работать один — иди за станок, станешь воровать — работай с людьми».

Вернувшись в Ленинград в 1967, Антибиотик сошелся с Сашей-Бешеным, грозой Петроградской стороны. Бешеный уже сам на дело не ходил, имел большие деньги от своих ребят за «пивников» — обложенных оброком торговок и торговцев пивом. Они предпочитали не портить отношения с Бешеным, потому что непонятливые как-то очень уж быстро гремели в ОБХСС. За Сашиной спиной поговаривали, что он имеет своих ментов в доле, хоть это и противоречило воровским понятиям. Впрочем, в те лихие времена менты так жали воров, что устроить Бешеному правилку на законном сходняке было просто некому. Антибиотик быстро понял, что ему в одной берлоге с Сашей будет тесновато, и начал постепенно окружать себя молодыми людьми спортивного склада и с малыми мозгами. Эти спортсмены неплохо работали на братву, но абсолютно ничего не понимали в тонких кружевах интриг «воровской масти». Этого от них и не требовалось, вполне достаточно было тупой преданности и исполнительности.

После того как Бешеный трагически погиб в автомобильной катастрофе, Антибиотик возглавил их общее дело, уже не деля власть ни с кем. Вскоре он, однако, столкнулся с теми же проблемами, что, видимо, и Бешеный в свое время. Без прикрытия ментов дела делались плохо. Поэтому Виктор Палыч, как стали его к тому времени называть, был вынужден отчислять около сорока процентов доходов ментам. Бизнес у него, кстати говоря, был уже совсем немалым, потому что кроме «пивников» Антибиотику постепенно начали платить проститутки, валютчики и организаторы подпольных цехов по пошиву «фирменной» одежды.

Среди оставшихся питерских воров трепыхнулся нехороший слушок, что-де ссучился Антибиотик, с мусорами* трется, но самые говорливые быстро легли под асфальт реконструируемой дороги Ленинград—Выборг, и слушок этот умер сам собой... Постоянные «вложения» в правоохранительную систему давали свои результаты — не всегда, но часто обвинения, предъявленные людям Антибиотика, отлетали от них, как масло от тефлонового покрытия. Виктор Палыч «рос», постепенно

---

* Мусор — милиционер (*жарг.*).

«росли» и его друзья в милицейской форме. Самого Виктора Палыча все чаще можно было встретить в компании артистов, художников, эстрадных знаменитостей и крупных хозяйственных и торговых работников.

Все чуть не рухнуло в начале восьмидесятых, когда Виктор Палыч вошел в долю на крупное дело с поставками репчатого лука на черный рынок. А ведь не хотел он в это дело влезать, сердце беду чуяло, слишком много было посвящено в суть аферы партийно-торговых фраеров, вот где-то и «протекло»... Аресты в Ленинграде пошли один за другим, Виктор Палыч метался по городу, как загнанный зверь, понимая неизбежность «вышки» в случае провала. Спасли его как раз те самые отчисляемые ментам сорок процентов. Но спасение обошлось дорого. Антибиотику пришлось пожертвовать почти всей своей пристяжью (из его ближайшего окружения до суда не дожил никто: одни были убиты при задержании, другие «кончали с собой», третьи умирали от инфарктов или астмы...) и большей частью накопленных сбережений. Кроме того, Виктор Палыч был вынужден законсервировать всю свою агентуру, прекратить активную деятельность и лечь на дно.

Виктор Палыч женился, взял фамилию жены и переехал в Пушкин, тихий пригород Ленинграда. Жена его была директором мебельного магазина. В этот магазин, кстати, приезжали за мебелью люди из разных городов. Почему-то здесь дефицитные гарнитуры появлялись намного чаще, чем во многих магазинах Ленинграда. Супруга Виктора Палыча прожила после свадьбы недолго, однажды ее нашли в собственном кабинете с остановившимся сердцем. На похоронах Виктор Палыч безутешно рыдал и клялся продолжить дело супруги. Он и в самом деле вскоре перешел работать в мебельный магазин, где за полтора года прошел путь от продавца до заместителя директора. Жил Виктор Палыч скромно и тихо и лишь в начале 1984 года почувствовал, что пришло время выходить из подполья.

...Виктор Палыч вынырнул из своих воспоминаний и сосредоточился на изучении личного дела Челищева. Перелистывая спрессованную казенным языком в сухую справку жизнь Сергея, Виктор Павлович пытался услышать много раз выручавший его голос интуиции... и не слышал ничего. Это и тревожило его, и разжигало любопытство. Антибиотик устало откинулся в кресле и в который раз начал анализировать складывающуюся ситуацию. Так он долго сидел совершенно неподвижно, и лишь подрагивающие веки свидетельствовали о том, что он не спит. Наконец он открыл глаза, потянулся и негромко пробормотал:

— Случайности... Совпадения... В ментовке бы в такое не поверили... И Бог с ними, с убогими.

С этими словами Антибиотик, вероятно, приняв окончательное решение, начал неторопливо переодеваться к ужину.

...Званый ужин прошел как нельзя лучше. В маленьком уютном ресторанчике на Охте Виктор Палыч, Сергей и Катя заняли отдельный кабинет, обстановка которого навевала ностальгические мысли о дореволюционном величии России. Кабачок назывался «У Степаныча», и прислуживал за ужином лично хозяин, давший заведению для названия свое отчество. Вернее, он не прислуживал, а курировал прислуживание, подгоняя двух вышколенных бесцветных официантов. Сергей вдруг вспомнил где-то читанное: «Высший класс официанта заключается в том, чтобы его не было заметно». Официанты этому требованию соответствовали вполне, а вот Степаныч суетился, демонстрировал показное рвение, шустрил, пока Антибиотик, поморщившись, не сделал знак рукой. После этого и Степаныч, и официанты словно под землю провалились.

Как ни странно, оказалось, что скованнее всех за столом чувствовала себя Катерина. Она напряженно молчала, ела мало и быстро переводила взгляд с одного мужчины на другого, словно наблюдала за партией в пинг-понг.

Антибиотик же с Сергеем, наоборот, казались полностью расслабленными. После того как Катерина представила их друг другу и был поднят первый бокал за знакомство (пили обожаемую Виктором Палычем «Хванчкару»), у мужчин завязался оживленный разговор о винах и виноделии. Антибиотик оказался настоящим знатоком и ценителем, он говорил о винах взахлеб, знал лично многих знаменитых виноделов. Виктор Палыч ругал Горбачева и его антиалкогольную кампанию, приведшую, как сказал Виктор Палыч, к ужасным, необратимым последствиям...

— Вы, Сергей Александрович, не поверите, какой удар по национальному достоянию России был нанесен тогда! Виноградники элитные вырубали напрочь, да еще химикатами почву обрабатывали. Я знал одного замечательного винодела из Крыма, профессора Ковригу. Какой это был человек! В дело свое влюбленный, поэт виноделов, международный авторитет... Его опытную лабораторию закрыли, экспериментальные лозы повырубали. Он не выдержал и застрелился... И я не успел ничего сделать, казню себя за это до сих пор...

Антибиотик задумчиво вертел в руке хрустальный бокал, любуясь игрой света в красном вине. На его пальцах Сергей подметил шрамы, судя по всему — от сведенных татуировок-перстней. Челищев кивнул и поддержал тему:

— Дурость российская неистребима...

— О!.. — Виктор Палыч грустно улыбнулся. — И вы туда же... Ах, Сергей Александрович, если бы вы знали, как часто у нас за дурость выдается холодный расчет... Ну, не будем о грустном в такой замечательный вечер... Вино должно веселить, а не навевать печали. Я, кстати, собираю веселые истории о вине и виноделии, и у меня довольно большая коллекция... Может, и вы мне что-нибудь в копилочку подбросите?

— С удовольствием,— рассмеялся Сергей. — Вы слышали, как археологи, раскапывая древнее царство Урарту, винный погреб обнаружили? А там амфоры с тысячелетним вином... Долго решали, пробовать или нет, потом решились все-таки... И чуть ли не вся экспедиция впала в какой-то полунаркотический транс, потому что там уже и не вино было и не коньяк, а какое-то странное желе...

— Не может быть! — искренне удивился Антибиотик.

Сергей развел руками:

— За что купил, за то и продаю... Мне эту историю заместитель руководителя той экспедиции рассказывал, профессор Петров. Он, кстати, до сих пор преподает на восточном факультете в университете...

Виктор Палыч пришел в восторг от рассказанной Сергеем байки и даже записал в свою книжечку координаты профессора, которые по памяти продиктовал ему Челищев.

— Обязательно ему позвоню, поподробнее про всю эту историю порасспрашиваю... Такие рассказы собирать надо, они людям радость несут.

За горячим разговор пошел о живописи, и Сергей поразился, как свободно Антибиотик с Катериной говорили о выставках и художниках, как жарко они заспорили о Малевиче, про которого Челищев вообще услышал впервые... Сергей чуть было не закомплексовал. Он вдруг почувствовал себя маленьким человеком, случайно попавшим на ужин к аристократам. «Ладно — Катерина, но откуда Антибиотик-то все это знает?» — удивился про себя Челищев.

(Между тем удивительного в этом ничего не было. Многие старые воры очень хорошо знали классическую литературу и биографии художников. Объяснялось это очень просто — подбором книг в тюремных и лагерных библиотеках. От скуки многие авторитетные воры перечитывали всю классику от корки до корки.)

Виктор Палыч, заметив настроение Сергея, тактично переменил тему. Между тем подали десерт.

Антибиотик, потягивая кофе, добродушно улыбался.

— Завидую вам, молодым... Такое время интересное начинается — только живи! Впрочем, у каждого времени свои недостатки. В моей молодости такого беспредела, как сейчас, не было. Хотя и ставки были не так высоки... М-да... Я рад, Сергей Александрович, что вы не забыли и не бросили своих друзей в трудную минуту. Мне будет приятно попробовать поработать с вами вместе. Не так часто приходится встречать людей, успешно сочетающих в себе умение работать и головой и руками... Катерина Дмитриевна тут порассказала мне... — Виктор Палыч рассмеялся, намекая на давнишнюю разборку с Рамазаном. — Есть у нас одно небольшое дельце, которое Олег не успел до ума довести. Оно, похоже, как раз по вашей части. Речь идет об одном молодом бизнесмене, попавшем в крупные неприятности. Он разработал чрезвычайно перспективную коммерческую комбинацию и как-то очень странно прогорел, попал в долги и на крючок к «черным». Чечены его сильно обидели, а человек он Божий, таких обижать-то грех. Олег было взялся, да... Вы бы встретились с этим коммерсантом, расспросили у него, что и как... У него что-то в Польше случилось, очень на подставу похоже... Катерина Дмитриевна вам все координаты его даст. Согласны?

Сергей лишь молча кивнул.

— Вот и славно. Ну, спасибо вам, ребятки, что выбрали время со стариком посидеть, помогли мне вечерок скоротать... Вам-то до этого еще далеко, до тоскливых вечеров стариковских...

Поняв, что Виктор Палыч объявляет встречу законченной, Челищев и Катерина поднялись.

Антибиотик проводил их до входной двери, помахал вслед рукой, а потом, сняв улыбку с лица, вернулся в кабачок.

— Веди, — коротко сказал Виктор Палыч Степанычу. Степаныч проводил Антибиотика в свой кабинет и усадил за стол, на котором стоял монитор.

— Давай, запускай!

Степаныч включил монитор, и Антибиотик начал просматривать запись их ужина, снятую скрытым телеобъективом. Виктор Палыч вглядывался в лицо Сергея и пытался понять его истинные мысли и чувства.

Катя с Сергеем возвращались с ужина в молчании. Лишь у самого своего дома Катерина как-то робко, с непонятным Сергею волнением спросила:

— Ну как?

Сергей лишь пожал плечами в ответ, мол, рано пока что-то говорить. Катя кивнула, помолчала немного и сказала:

— С бизнесменом, о котором Виктор Палыч говорил, надо встретиться, и как можно скорее. У него, похоже, дела совсем плохи.

— А кто он такой?

Катя улыбнулась:

— Михаил Соломонович Либман.

Сергей фыркнул:

— Это, конечно, многое объясняет! Ну да ладно! Где я могу с ним встретиться?

Катя задумалась.

— Звонить домой ему не стоит... Давай я выясню этот вопрос, а Толик, — Катерина кивнула на Доктора, невозмутимо сидевшего за рулем, — завтра с утра тебе все передаст. Хорошо?

Сергей молча кивнул и отвернулся с непонятным ему самому раздражением. А Катерина, не обращая внимания на его угрюмость, вдруг прижалась к Челищеву и быстро, но нежно поцеловала его в ухо. Со стороны это выглядело как обычный прощальный дружеский поцелуй. Однако у Сергея сложилось другое впечатление. Он начал было разворачиваться к Кате, но она остановила его неуловимым движением руки.

— Ну вот я и приехала. Счастливо, мальчики, до завтра! Толик, завтра сначала ко мне, а потом — к Сергею. — Доктор молча кивнул и вышел из машины, чтобы проводить Катерину до квартиры.

Утром следующего дня Доктор доставил Челищева в клинику нервных болезней ВМА, где его должен был ждать Либман. Как объяснил Толик, у Либмана в этой клинике лечилась жена.

В вестибюле клиники Сергей сразу заметил невысокого человека, нервно расхаживающего взад-вперед. Человек не очень походил на бизнесмена, костюм его был измят, ботинки — не чищены, рубашка явно не отличалась свежестью, а галстук отсутствовал напрочь.

— Михаил Соломонович?

Либман дернулся, словно от тычка, и, втянув голову в плечи, обернулся к Челищеву.

— Сергей Александрович?

Услышав характерное раскатисто-гортанное «р», Сергей вдруг вспомнил этого человека.

— Мать честная... Эйнштейн?

Либман, по-прежнему не узнавая Челищева, с испугом вглядывался в его лицо.

— Восемьдесят третий год, Коми АССР, стройотряд «Вычегда», Корткерос?

Либман мелко закивал.

— У нас же стройотряды рядом стояли — помнишь? Наш «Фемидой» назывался, юрфак... А ты с экономического факультета, тебя все Эйнштейном звали за умность... Вспомнил?

Видимо, Либман начал что-то вспоминать. Он быстро закивал, и испуг в его глазах сменился навернувшимися слезами.

«Так, похоже, скоро не только его жена, но и сам он станет клиентом этого заведения», — подумал Челищев, отводя Эйнштейна к журнальному столику, на котором веером были разложены популярные медицинские брошюры.

Либман смотрел на Сергея с трагическим выражением на лице и, видимо, изо всех сил пытался сдержать прорывающиеся слезы. Рассказ свой он смог начать лишь после нескольких минут мучительных шмыганий носом. И был этот рассказ совсем не веселым.

...Прозвище «Эйнштейн» Миша Либман получил еще в школе за умение перемножать в уме шестизначные цифры. На экономическом факультете университета он стал звездой с первого же курса, его курсовые работы посылали на международные конкурсы, а к пятому курсу Миша уже стал за деньги консультировать доморощенных бизнесменов, начавших выныривать на поверхность с первых же дней перестройки. Консультации приносили ему совершенно неслыханный для студента доход, приподнимая «Эйнштейна» и в собственных глазах, и в глазах сокурсников, считавших, что если бы не национальность, то «быть Мойше министром». Может быть, из-за этого и выскочила за Мишу первая красавица их курса черноокая Марианна из Львова — выскочила, несмотря на бешеное сопротивление ее родни, оголтелых «западенцев».

У молодых поначалу шло все хорошо. Марианна родила дочь, Миша окончил аспирантуру и легко защитил кандидатскую диссертацию. Однако змей-искуситель сбил его с дороги ученого-теоретика и заставил окунуться в мутные волны отечественного бизнеса.

Кооператив Либмана к 1991 году стоял на ногах уверенно и крепко, Михаил наслаждался жизнью и не верил, что с ним может случиться что-то плохое. Из-за этой своей самоуверенности он легко пошел на совместную операцию с некоей фирмой «Вайнах», которую учредили в Питере чеченцы из Грозного. Одного из них, Руслана, Либман знал достаточно давно, он тоже учился на экономическом, но его выгнали за постоянные прогулы с третьего курса. Руслан предложил Либману просчитать и осуществить крупную операцию — поставку большой партии алюминия в Польшу транзитом через Калининградскую область. Операция сулила фантастические барыши. На ее разработку Миша потратил полгода — находил посредников-приемщиков в Калининграде, польских партнеров, утрясал бюрократические формальности с таможней. Операция была выстроена красиво и почти законно, а по сравнению с потоком цветных металлов, который, вообще никак не будучи оформленным, хлынул в Прибалтику, — расчеты Либмана вообще казались образцом порядочности и радения за достояние страны... Боясь доверить груз аллюминия кому-либо, Либман сам решил возглавить «экспедицию» в Польшу.

Все рухнуло в один день. В Варшаве караван грузовиков неожиданно задержала полиция, и Михаилу, несмотря на предъявленные документы, пришлось провести полдня в участке. Выпустили его только под вечер, а задержавший его польский офицер, некий пан Владыевский, настолько осознал свою неправоту, что даже любезно предложил Либману проводить его караван до пункта приема цветного металла той фирмы, с которой Либман оговорил поставку алюминия. Они подъехали к воротам приемного пункта уже в темноте, ворота были закрыты, и на них было приклеено какое-то объявление. Владыевский, мешая русские и польские слова, объяснял Мише, что по техническим причинам приемный пункт переехал в другое место. Одуревший от голода и нервов, Либман был готов ехать уже куда угодно — лишь бы поскорее освободиться от алюминия.

Разгрузку и оформление бумаг закончили поздно ночью, и растроганный Михаил долго благодарил офицера польской полиции, без которого, как он считал, он бы просто пропал в Варшаве. Оставалось только ждать, когда поляки переведут деньги на счет кооператива Либмана. Между тем вышли все сроки, а деньги не поступали. Либман начал бомбардировать факсами и письмами своих польских партнеров и получил от них убийственный ответ — те, мол, никакого алюминия не получали.

Все бумаги, полученные Либманом на приемном пункте, куда его любезно проводил пан Владыевский, оказались фальшивкой...

С этого дня начался крах. Улыбчивые дотоле чеченцы вдруг резко посуровели и включили счетчик. Михаил пытался взять кредиты и снова раскрутиться, но внезапно бесследно пропал главбух его кооператива, после чего начались бесконечные ревизии и проверки.

В один прекрасный день Руслан привез Либмана на какую-то грязную хату и угрюмо сказал:

— Плохо работаешь. Нас разорил, друзей — разорил... Думай, что делать, где деньги взять... А пока посидишь здесь...

Руслан уехал, а его земляки пристегнули Мишу наручниками к батарее и долго били ногами. Его не отстегивали от батареи даже для того, чтобы сходить в туалет, и в конце концов Михаил, трясясь от унижения, обмочился прямо в штаны, за что чечены били его снова. На вторые сутки его заключения гордые горцы привезли перепуганную Марианну. Либману до этого заклеили рот, а на голову надели чулок, через который он видел, как его жену изнасиловали сначала в рот, потом сзади, а потом кто как хотел — по очереди и вместе...

Через несколько дней Михаил Либман подписал ряд документов, по которым и его кооператив, и квартира, и вообще все, что у него было, перешло в собственность фирмы «Вайнах»...

Жить Либман стал в той самой грязной хате без мебели, где его держали пристегнутым к батарее... Марианна никого не узнавала, впала в детство, таскала за собой повсюду какую-то куклу и разговаривала только с ней и только по-украински...

Руслан предложил Мише работу в «Вайнахе» — рассчитывать для них сомнительные торговые операции — за еду и лечение Марианны, которую бывший однокурсник «по доброте душевной» устроил в клинику ВМА. Михаилу разрешили навещать ее раз в неделю. Единственное, что Миша смог вымолить у Руслана, — это отправить дочку во Львов к бабушке с дедом. Руслан пошел на это потому, что не хотел лишней обузы — с малышкой ведь надо было кому-то сидеть.

Фактически Либман превратился в раба Руслана и его земляков, хотя спустя некоторое время его формально сделали генеральным директором фирмы «Вайнах». Либман с тоской понял, что, видимо, в ближайшее время через «Вайнах» будут провернуты какие-то откровенно криминальные операции, после чего все стрелки сведут на него и, в конце концов, его ликвидируют. Пользуясь тем, что горцы перестали контролировать каждый его шаг, считая, что он все равно никуда не денется, пока у них под присмотром находится Марианна, Миша Либман стал активно наводить справки о том, кто бы мог его защитить от чеченов. Знакомые вывели «Эйнштейна» на Олега Званцева, про которого говорили, что он сильно «черных» недолюбливает и может, в принципе, помочь. При встрече Либман, захлебываясь словами, предложил несколько совершенно гениальных коммерческих проектов, которые брался довести до ума, если Олег отобьет его у чеченов. Через несколько дней Званцев ответил согласием, но сделать ничего не успел, угодил в «Кресты» вместе со многими своими братками. Либман решил, что судьба отвернулась от него, и перестал надеяться на чудо, окончательно покорился своей участи. Звонок Катерины с предложением начать решать его проблемы вновь подарил Мише сумасшедшую надежду...

К концу рассказа Либмана Челищев окончательно утратил свой несколько ироничный настрой, с которым шел на встречу с коммерсантом.

Жутко стало Сергею. Некоторое время он сидел молча, а потом спросил:

— Документы — реквизиты, адреса польской стороны сохранились? Даты, фамилии, цифры?

Либман затряс головой и, увидев, как досадливо сморщился Челищев, торопливо сказал:

— Но я все помню, все абсолютно... У меня же феноменальная память... осталась... — Последнюю фразу он прошептал сорвавшимся голосом и затрясся в рыданиях.

Вечером за ужином в кафе Сергей рассказал Катерине о своей встрече с Либманом. Она выслушала его, ни разу не перебив, и когда Челищев замолчал, спросила:

— Ну, и какое твое мнение?

Сергей пожал плечами:

— Сложно сказать... В принципе, дело тухлое... То, что там «кидалово» было в Варшаве, ясно даже ежу. Типичная разводка. Если Миша не врет, конечно. А он не врет, я в этом уверен... В милицию бесполезно обращаться, следствие затянется на годы, до его конца Либман не доживет. Единственный шанс — попробовать через поляков что-то прошустрить. Такая гора алюминия все равно не могла бесследно исчезнуть...

Катерина достала сигарету и подождала, пока Челищев поднесет ей огонек зажигалки.

— А как через поляков решать? Это же смертельный номер...

Сергей усмехнулся:

— Помнишь Марека Зелиньского?

Катя сдвинула брови, припоминая:

— Марек-Солидарность? Учился с нами который? Чернявенький такой, да? Ну-ну...

— Он, между прочим, сейчас в Варшавской прокуратуре работает... Мы с ним пару раз контачили, правда, тогда все было официально. Но, в принципе, можно попробовать...

Катерина вскинула на Сергея глаза.

— Короче, тебе в Польшу ехать надо...

Челищев пожал плечами — мол, решать-то не мне, я, мол, свои выводы сказал, а дальше — сами думайте.

Катя вдруг резко вскочила и схватила висевшую на спинке стула свою сумочку.

— Так, Сережа, я съезжу проконсультируюсь, а ты, как доужинаешь, иди к себе, здесь недалеко... Я потом к тебе заеду. Пустишь?

У Челищева почему-то пересохло в горле. С усилием сглотнув, он ответил вопросом на вопрос:

— А ты... адрес-то помнишь еще?

Катя ответила Сергею долгим взглядом, потом кивнула:

— Помню, Сереженька... Я все помню...

Со значением так сказала, резко повернулась и плавной походкой быстро пошла к выходу, собирая по дороге однозначные взгляды мужской половины посетителей.

Сергей после ее ухода ужин продолжать не мог, аппетит пропал напрочь. Сломя голову он помчался домой, принялся прибираться, курил сигарету за сигаретой, убеждал сам себя: «Ну что ты так расписиховался? Просто заедет на минутку, деловые вопросы обсудить... Что между нами может быть? Она же замужем... За Олегом, не за кем-то...» И все равно он совсем по-юношески волновался. Катя приехала около полуночи. Осторожно войдя в прихожую, она принялась оглядываться.

— Господи... Почти ничего и не изменилось. Все, как десять лет назад, — прошептала она с грустной улыбкой.

Сергей качнул головой и полез за очередной сигаретой:

— Только папы с мамой больше нет... Голос его дрогнул, и Катя, поняв свою оплошность, положила руку ему на плечо.

— Прости, Сережа... Я не то сказала... До сих пор поверить в это не могу...

Она прошла до конца прихожей и замерла, вглядываясь в большое настенное зеркало.

— Значит, прямо здесь все и произошло? Кошмар какой... Но ты мне говорил, что убийцу поймали?

Сергей пожал плечами. Естественно, они с Катериной не в первый раз касались в разговоре темы убийства его родителей. Каждый раз Сергей хотел поделиться с ней всеми своими сомнениями и подозрениями, и каждый раз что-то удерживало его от этого. Рассказы получались короткими, скомканными и путаными, но Катерина практически никогда не переспрашивала его, понимая, видимо, что лишние вопросы могут доставить Сергею лишнюю боль... Сам же Сергей мысленно решил, что нужно дождаться выхода Олега из тюрьмы (тем более что Катерина уверяла — ждать осталось недолго) и обсудить все с ним. Инстинкт следователя подсказывал Челищеву, что активные «следственные действия» стоит начинать лишь после того, как хоть немного освоишься в незнакомой среде... Поэтому его ответ Катерине был смазанным, по сути никаким:

— Поймали одного парня, который на себя все и взял... Говорил, что просто «поставить» квартиру хотел, ну а уж потом, с перепугу... — Сергей махнул рукой. — Его убили здесь же, в подъезде, он пытался бежать во время «уличной».

Катя зябко передернула плечами:

— Ужас какой... Как ты не боишься здесь жить, после всего, что случилось?

Челищев грустно усмехнулся:

— Ну, во-первых, жить мне больше негде. А во-вторых, — чего бояться-то?

Дважды в одну воронку снаряд не попадает, а привидений я не боюсь... Те, которые могут появиться в этом доме, мне зла не сделают... Да ты раздевайся, проходи, кофейку попьем.

Сергей протянул руку к ее пальто, но Катя покачала головой:

— Нет, нет... Поздно уже... Чего на ночь душу травить... Я и так пару минут здесь побыла — на меня столько всего нахлынуло... Я что заехала сказать-то, Виктор Палыч твою поездку в Польшу одобряет и благословляет, он вообще, похоже, очень заинтересован в тебе... Завтра нужно сфотографироваться на загранпаспорт, через несколько дней сделаем документы с визой — и полетишь...

— Полетишь? — переспросил Сергей и по-детски обиженно поджал губы. — А разве мы не вместе полетим? Я думал — ты со мной...

Катя провела рукой по рукаву рубашки Сергея и, вздохнув, сказала:

— Я там лишней буду, ты и сам справишься... А здесь тоже кому-то работать надо.

Голос ее постепенно становился глуше, рука соскользнула в горячую ладонь Челищева, который вдруг прижал не то всхлипнувшую, не то простонавшую Катерину к себе и, ощущая упругость ее груди, поцеловал в раскрывшиеся навстречу губы. Катя сначала слабо пыталась упереться ему в грудь, но почти сразу же обняла Сергея за шею. Их языки встретились, и Катерина глухо застонала, а у Челищева от этого ее постанывания ослабли колени. Никогда раньше простой поцелуй не доводил его до такого состояния, как сейчас. Сергей почувствовал, что разум его начинает отключаться, и в этот момент Катя, отчаянно вскрикнув, с непонятно откуда взявшейся кошачьей силой вдруг вырвалась из рук Сергея. Тяжело дыша, она отскочила к входной двери и выставила перед собой руку с подрагивающими пальцами:

— Нет, нет! Прошу тебя, Сережа! Нельзя...

Они молча смотрели друг на друга, постепенно успокаиваясь.

Катя, не поворачиваясь к Сергею спиной, стала на ощупь пытаться открыть дверь. Когда ей это удалось, она облегченно и вместе с тем обреченно вздохнула и, не глядя Челищеву в глаза, пробормотала:

— Спокойной ночи... Увидимся завтра... Сереженька...

И выскользнула из квартиры. Сергей не пытался ее задержать. После ухода

Катерины он рухнул на диван в гостиной, закурил и попытался разобраться в бешеном водовороте своих чувств и мыслей: Катю он любит, да и, наверное, всегда любил, это или более-менее понятно... Ее поведение проанализировать сложнее. Сергей не мог понять, то ли у нее по отношению к нему тоже прорываются какие-то чувства, то ли это просто тоска молодой женщины, у которой давно не было мужчины... Что делать в сложившейся ситуации, было совершенно непонятно.

Дело ведь не только в том, что Катя — жена Олега, лучшего друга Челищева. Кстати, лучшего друга или бывшего лучшего друга? Кто сейчас Олег для Сергея? Он сидит в тюрьме, а его жена целуется с его же лучшим другом... Помимо всего прочего, Челищев достаточно ясно понимал, что Олег руководит многочисленной бандитской группировкой, большая часть которой осталась на свободе. Для этих братков Катя — жена их босса, и если между ней и Сергеем завертятся какие-то «неслужебные» отношения, то к проблемам чисто морального плана могут прибавиться и вопросы физического выживания, причем как для Челищева, так и для Катерины... А уж для Сергея-то эти вопросы могут однозначно стать в один момент необыкновенно актуальными, он же бывший следак, значит, цветной*, мусор... Голова у Челищева разрывалась от мыслей, и вдруг все они мгновенно были погашены мощно накатившимся воспоминанием о поцелуе с Катей...

Сергей промаялся полночи без сна, пока не выпил в конце концов полстакана водки, проклиная себя в душе за безволие... Алкоголь снял нервное напряжение, и Челищев провалился в сон. Под утро его разбудил голос матери:

— Сережа, вставай! Сергунюшка, пора...

Этими словами Марина Ильинична будила Сергея когда-то в школу, а потом в университет и еще совсем недавно — в прокуратуру...

Дико закричав, Челищев соскочил с дивана. В темноте квартиры, казалось, еще висело эхо от голоса матери. Ощущение это было настолько реальным, что Сергей почувствовал, как от ужаса у него на лбу появилась холодная испарина, а во рту, наоборот, пересохло. Еле ворочая языком, он вслух спросил, словно каркнул:

---

* Цветной — работник правоохранительных органов (*жарг.*).

— Кто здесь?!

Никто ему не ответил. Сергей одной рукой нащупал золотой нательный крест Олега у себя на груди, а другой включил свет в комнате. Никого... Сергей постепенно успокоился, но свет выключать не стал. Он вспомнил, как вечером говорил Кате, что не боится привидений, и его затрясло.

— Господи, спаси и сохрани... — Сергей снова лег и, шепча трудно вспоминаемые слова молитвы, задремал...

Утром вместо Доктора, к которому Сергей уже успел привыкнуть и с которым они уже могли вполне добродушно болтать на общие темы, приехал угрюмый Танцор, который отвез Челищева в фотомастерскую. На вопрос Сергея, где, собственно, Катерина Дмитриевна, Танцор маловыразительно ответил, что она с Толиком уехала на несколько дней куда-то в область по срочным делам.

«Ясно. Прятаться от меня решила». Челищев бесился и одновременно в глубине души радовался, потому что если женщина начинает прятаться от мужчины, то, скорее всего, он ей небезразличен...

Через два дня тот же Танцор привез Сергею паспорт с визой, билет на вечерний рейс до Варшавы, пятитысячную пачку долларов и разрешение на вывоз валюты. Сергей таких денег в руках сроду не держал и поэтому удивленно спросил у Танцора:

— А это зачем?

Тот меланхолически пожал плечами:

— Сказали, на оперативные расходы...

— Кто сказал-то?

Но этот вопрос Танцор пропустил мимо ушей, буркнул, что заедет вечером, чтобы отвезти Сергея в аэропорт, и ушел.

Челищев до этого ни разу за границей не был, и поэтому его охватило понятное возбуждение. Он волновался, честно говоря. Сергей не верил особенно, что его поездка в Польшу состоится, все случилось слишком быстро. Давя в душе легкий испуг (а вдруг Марека нет в Варшаве?), он начал дозваниваться Зелиньскому. Тот, к счастью, оказался на месте. Сергей огорошил его новостью о своем прилете, Марек совершенно обалдел, но, кажется, даже обрадовался.

— Ты по службе, коллега? — Марека было слышно так, как будто он сидел в соседнем доме.

— Да нет, туристом, — замялся Сергей.

— Ладно, расскажешь, я тебя встречу, а то ты потеряешься...

По-русски Зелиньский говорил абсолютно правильно, но с неистребимым польским акцентом.

Повесив трубку, Челищев облегченно вздохнул. В самом деле, вот был бы номер, если бы Марека на месте не оказалось! Один, без полномочий и языка — вот бы Сергей там нарасследовал бы... Их дефензива его на второй бы день за шпиона приняла...

Сергей начал было собираться, размышляя, что, собственно, взять с собой, но от этих мыслей его оторвал телефонный звонок.

— Сергей Саныч?

— Да...

— Виктор Палыч вас беспокоит. Как, собираетесь? — голос Антибиотика в трубке был бархатист и по-отечески мягок.

— Да я, собственно... — начал было бормотать Сергей, но Антибиотик перебил его, непринужденно перейдя на «ты»:

— Собирайся спокойно, не волнуйся, все у тебя должно получиться. Ты парень толковый, я это сразу понял... Удачи тебе... Сильно не надрывайся, развейся заодно... Про паненок потом расскажешь... Если вдруг какие-то проблемы возникнут — денег не хватит или еще что-то, — звони сразу, не стесняйся. Запиши телефон — скажешь, для Виктора Палыча информация. Там передадут. Ну, успехов...

Не дожидаясь ответа Челищева, Антибиотик повесил трубку. У Сергея вдруг пропало все радостное возбуждение. Он долго сидел неподвижно с попискивающей трубкой в руке... «Да, докатился ты, Сергей Саныч... Жулики тебя в командировку за границу посылают и еще велят валюту не жалеть... Рассказал бы кто такое еще год назад... Что же у нас в стране творится-то, Господи...»

До Варшавы Челищев добрался без приключений. Марек встретил его, как и обещал, они крепко обнялись — не виделись-то целых семь лет. Зелиньский погрузнел, волосы его поредели, и глаза его уже не были такими озорными, как в студенческие годы.

Пока шли к серому «полонезу» Марека, он спросил, какими судьбами Сергей очутился в Варшаве.

Сергей колебался недолго. В конце концов врать Зелиньскому, выдавая свой интерес за официальный, было просто бессмысленно.

— Знаешь, Марек, я ведь в прокуратуре больше не работаю. Зарплата не та, да и смысла в нашей работе все меньше остается. По крайней мере у нас, в России...

Марек настороженно поднял глаза на Сергея:

— И где же, позвольте спросить, пан сейчас работает?

Челищев махнул рукой:

— Пан, Марек занимается частным сыском.

Зелиньский округлил глаза:

— О... Так и у вас разрешили?

Сергей кивнул:

— Разрешили. У нас теперь все что хочешь разрешили... Так я, собственно, по делу к тебе. Помощь твоя нужна. К нам один бизнесмен обратился...

И Сергей подробно пересказал Мареку историю Миши Либмана, опустив, правда, некоторые несущественные для поляка подробности.

Когда Челищев закончил свой рассказ, они уже сидели в машине и ехали к центру Варшавы. Зелиньский молчал.

— Вот такие пироги, Марек! У меня здесь, кроме как к тебе, обратиться не к кому. Сможешь помочь — помоги... Если не в обиду — гонорар у меня с собой, мне контора специально выделила.

— И сколько же, позвольте спросить, пану выделила его контора? — живо поинтересовался Зелиньский.

— Пану выделили две тысячи долларов, — на всякий случай Челищев решил оставить себе некий маневр для возможного торга.

Марек присвистнул.

— Богатая у тебя контора... — Сергей сделал вид, что не замечает иронию в голосе Марека.

Зелиньский долго молчал, и лишь когда они остановились у гостиницы, сказал:

— Ладно, давай попробуем помочь твоему бедному жиду...

Сергей обрадованно заулыбался и полез в карман за деньгами, но Марек перехватил его руку:

— Подожди ты со своими деньгами. Сделаю что-то — другой разговор, а пока мне деньги давать не за что.

— Но у тебя могут возникнуть служебные, так сказать, расходы...

— Возникнут — сразу же тебе скажу. А пока договоримся так — давай мне все свои записи и отдыхай спокойно. Ешь, спи, гуляй, смотри телевизор... Как только будут первые результаты — плохие или хорошие, — я сразу же с тобой свяжусь. Добже?

— Добже, Марек, конечно, добже... Если бы ты отказался, я бы, наверное, на следующий же день улетел...

Челищев с наслаждением окунулся в блаженное безделье. Он спал по двенадцать часов в сутки, купался до одури в гостиничном бассейне, читал прихваченный из России детектив, бродил по магазинам и кафе. Все свои тревожные мысли Сергей постарался задвинуть в самый дальний уголок сознания, решив воспользоваться подарком судьбы и отдохнуть. Кстати говоря, преследовавшие его в Петербурге ночные кошмары куда-то исчезли, Сергей спал глубоко и без сновидений.

Марек объявился лишь через пять дней, когда Челищев уже начал несколько тяготиться ничегонеделаньем. Дочитав детектив, Сергей валялся на кровати и думал, как убить вечер, когда в дверь его номера властно забарабанили. Грубый голос произнес какую-то фразу по-польски, из которой Сергей уловил лишь одно:

— Полиция!

Чувствуя неприятную пустоту в животе, Челищев открыл дверь и увидел улыбающуюся физиономию Зелиньского.

— Фу ты, Марек, я же так инфаркт могу получить!

— Пан так боится полиции? У пана проблемы с законом?

— Судя по твоему игривому настроению, у тебя хорошие новости. Рассказывай, не томи!

Марек неторопливо уселся в кресло и с важной серьезностью стал рассказывать:

— Ну, кое-что мы действительно выяснили. Первое — и то было самое трудное — мы нашли второй приемный пункт, куда твоего Либмана привел Владыевский. И вот что оказалось: обе этих фирмы на самом деле — партнеры, проводящие совместные торговые операции. Но еще больше интересно то, что у второй фирмы, принявшей металл у Либмана, есть еще один партнер — совместное российско-польское предприятие-поставщик. И как ты думаешь, кто является учредителем этой фирмы с российской стороны? Правильно — замечательная организация «Вайнах» из твоего родного Петербурга. Так вот, судя по датам, привезенный Либманом алюминий был оформлен как поставка от этой самой российско-польской фирмы, и все положенные пенензы были переведены на ее счет в банке. Вот и все. Все довольны, всем хорошо! Плохо только твоему еврею. Но он тоже — смешной такой, решил бизнес в Варшаве делать да еще не совсем чистый... У нас тут жидов не очень любят, обмануть их — за грех не считают... Ладно, вот тебе копии документов, — Зелиньский небрежно бросил синюю пластиковую папку на колени Челищеву. — Здесь все, что смогли достать: копии учредительных договоров, контрактов, квитанций о приемке груза и документов об оплате. В принципе, с такой фактурой, если бы было заявление твоего Либмана, можно было бы серьезно огорчить всю эту компанию... Ну и Либмана, вероятно, тоже — алюминий-то сначала должен был в Калининграде остаться... Но ты ведь сказал, что тебе все это нужно для неофициального расследования?

Сергей лихорадочно листал копии документов и не мог поверить своим глазам.

— Марек, как тебе это удалось? Это же... Это просто невозможно, тем более за пять дней?!

Зелиньский потянулся в кресле, как довольный кот:

— Работаем... Наши маленькие оперативные секреты я открывать не буду — они тебе просто ни к чему, но есть один большой секрет: у нас, у славян, одна общая особенность — все нельзя, но, в принципе, все можно! Самое важное — этот принцип знать!

Сергей засмеялся и бросился обнимать Марека... Вместо обещанных двух тысяч долларов Сергей отдал Зелиньскому две с половиной.

— Это надбавка за быстроту и качество. И не возражай, ради Бога.

Марек крякнул, спорить не стал, но перед тем как убрать деньги в карман, сказал:

— Многие считают, что поляки за деньги могут сделать что угодно. То не всегда так. Я хочу, чтобы ты знал: все, что я для тебя сделал, я сделал бы и без денег. Хотя и люблю их всей душой...

Растрогавшиеся приятели решили отпраздновать удачное завершение командировки Челищева в ресторане, благо денег у Сергея оставалось еще более чем достаточно. Они заказали билет в Петербург на следующий вечер, Сергей позвонил по телефону, который оставил ему Антибиотик, и передал время своего возвращения. А потом все понеслось по полной программе — ужин, тосты за дружбу, за Польшу и Россию, пьяные рассказы друг другу о том, как все прогнило... В общем, отрывались они именно так, как могут два битых следователя, у которых неожиданно появились деньги. Под конец вечера за их столиком появились какие-то девки, и, несмотря на то, что Марек уже не мог переводить, все понимали друг друга прекрасно. Челищев пришел к выводу, что польский язык очень простой и от русского отличается в основном количеством шипящих звуков, и если их побольше вставлять в русские слова, то как раз и получаются польские...

Потом вся компания переместилась в номер к Сергею и попыталась совместными польско-русскими усилиями разломать широченную кровать. Веселое свинство продолжалось почти до утра, но, к чести польских гостиниц, кровать выдержала все испытания.

Утро, естественно, было тяжелым. Проявившиеся вечером лингвистические способности Сергей утратил, и поэтому, когда девушки собрались уходить и та, что ночью была все-таки больше с ним, чем с Мареком, что-то сказала по-польски, он ничего не понял.

Зелиньский голосом умирающего перевел:

— Она говорит, что ты — первый русский, который у нее был. Учитывая сложные отношения межу нашими народами, можешь считать это комплиментом.

— Все когда-нибудь бывает впервые, — философски ответил Сергей. — Она, кстати, тоже — первая полька, с которой я это самое... Пусть считает это ответным комплиментом.

Марек перевел, девицы расхохотались и упорхнули, послав приятелям воздушные поцелуи.

Зелиньский со стонами начал одеваться, чтобы бежать на работу.

— Боже, если ты меня слышишь, укрой меня сегодня от глаз начальства! — бормотал Марек, путаясь в брюках, а Сергей, услышав эту фразу, прикусил губу и отвернулся. На него нахлынул приступ ностальгии, он вспомнил, как, бывало, говорил про себя такие же слова, собираясь в прокуратуру...

Вечером в аэропорту, обняв Сергея на прощание, Зелиньский сказал ему:

— Мы оба взрослые люди, поэтому, я надеюсь, ты понимаешь, что не хотел бы афишировать свою помощь тебе... И еще — я помогал тебе, а не твоей странной конторе, о которой я тебя не спрашиваю... Но мне кажется почему-то, что эта твоя контора занимается не только добрыми делами. Береги себя!

Сергей молча обнял Марека и пошел на регистрацию. В Пулково его встречала

Катерина с Доктором и Танцором. Пожав браткам руки и чмокнув Катерину в щеку, Челищев ответил на их вопросительные взгляды веселой улыбкой.

— По-моему, полный ажур! Гораздо лучше, чем можно было надеяться.

Катя сразу же просветлела лицом, оживились и Танцор с Доктором.

— Слава Богу! Тогда сразу — едем к Степанычу, Виктор Палыч уже ждет, заодно и поужинаем, ты же с дороги.

От этих слов Катерины Сергей почувствовал досаду. Получалось, что она больше радовалась успеху поездки, чем просто его возвращению. Но по пути к машине, воспользовавшись тем, что Танцор с Доктором ушли вперед. Катя слегка погладила пальцами ладонь Сергея и прошептала:

— Я очень скучала...

Ну прямо как школьница, ни дать ни взять! Челищев неожиданно расхохотался, но не весело, а с этакой злой иронией:

— Тебе не кажется, что ситуация начинает напоминать «Собаку на сене»? Жаль, что нет возможности пообщаться с Лопе де Вега, я, наверное, мог бы сообщить ему много интересных подробностей о внутреннем состоянии Теодоро...

Катерина надулась было, но атмосферу неожиданно разрядил Доктор. Плохо расслышав обрывок последней фразы Сергея, он обернулся и с доброжелательным простодушием сказал:

— Сергей Саныч, если нужно, мы его из-под земли достанем.

— Кого? — не понял Челищев.

— Ну, Лаподавилова этого...

Доктор не понял, почему его слова вызвали такой взрыв хохота у Кати с Сергеем. Он растерянно переводил взгляд с одной на другого и под конец тоже заулыбался. И только Танцор не присоединился к всеобщему веселью. Опершись локтем на крышу «мерседеса», он угрюмо ждал, пока все угомонятся и сядут в машину...

«У Степаныча» их уже ждали. Оставив Доктора с Танцором ужинать в общем зале, Катя и Сергей прошли в уже знакомый кабинет. Из-за стола им навстречу поднялся Антибиотик — словно соскучившийся по внукам дедушка...

Он внимательно, ни разу не перебив, выслушал рассказ Челищева, но когда Сергей хотел ему передать папку с документами, остановил его движением руки:

— Ты, Сережа, оставь их пока у себя. Раз ты дело начал, тебе его и доделывать.

Надо с чеченами стрелку забивать, вот там ты эти документики и предъявишь... Ну, да мы это после ужина обсудить успеем, чтобы аппетит не портить. Расскажи лучше, как там Польша, как прекрасные паненки?

Сергей смутился и, глянув искоса на Катю, невнятно промямлил:

— Да я, собственно, не особо там приглядывался...

Антибиотик перехватил его взгляд и усмехнулся. Катерина сидела словно замороженная, опустив глаза в тарелку.

Челищев хотел вернуть оставшиеся у него доллары, но Виктор Палыч их не принял, замахав с гипертрофированным возмущением руками:

— И видеть их не хочу — это твои командировочные, твое дело, куда их тратить... Ты на бо́льшую сумму наработал, но давай окончательный расчет попозже сделаем.

Ужин закончился быстро, видимо, Антибиотик куда-то торопился. После десерта Виктор Палыч поднялся и пригласил Сергея с собой в кабинет к Степанычу. Катерину они оставили за столом.

Антибиотик по-хозяйски уселся за стол Степаныча и показал Челищеву на стул рядом.

— Ну, давай, Сережа, обсудим, как ты со зверями разговаривать будешь, что предъявишь, о чем промолчишь... Дело, не спорю, непростое, опасное... Но не мне же, старику, на стрелки ездить, людей смешить...

И, наклонившись к Челищеву, Виктор Палыч начал негромким голосом подробно инструктировать Сергея.

Из ресторана они уехали уже далеко за полночь. Всю дорогу до дома Катя напряженно молчала, казалось, она о чем-то лихорадочно думает, что-то просчитывает и не может просчитать.

Остановив «мерседес» у Катиного подъезда, Танцор начал было вылезать из машины, чтобы проводить Катерину до дверей квартиры, но она остановила его:

— Спасибо, меня Сергей Саныч сегодня проводит.

Танцор равнодушно пожал плечами и откинулся в кресле радом с задремавшим после сытного ужина Доктором.

В подъезде Катерина порывисто схватила Сергея за руку:

— Сережа, когда назначена стрелка с чеченами?!

Сергей ухмыльнулся и начал было отвечать с преувеличенной серьезностью.

— Это служебная информация, и я...

Катя резко перебила его:

— Не юродствуй! Ты, похоже, не понимаешь, насколько все серьезно и опасно. Чечены — люди совершенно отмороженные, а предъява за Либмана, даже со всеми твоими документами, — дело очень спорное, потому что по понятиям Либман — их коммерсант... Виктор Палыч не должен был тебе поручать эту разборку, ты еще многого не умеешь и не знаешь... Его давно уже с разных сторон подталкивают к войне с чеченами, а если с вами на стрелке что-нибудь случится — повод будет железный, понимаешь? Господи, неужели тебя специально подставляют?

Посерьезневший Челищев мягко приобнял Катерину за талию.

— Ехать-то все равно придется, Катюшка. Назад пути уже нет... Стрелку предположительно на завтра назначать будут, но с чеченами еще никто не связывался...

Катерина уткнулась лицом ему в грудь и еле слышно прошептала:

— Будь осторожнее, ради Бога и ради меня. Если с тобой что-нибудь случится, я не прощу себе этого никогда, слышишь, никогда...

Сергей погладил ее по волосам, а потом повернул ее лицом к себе и стал осторожно целовать ее полуприкрытые глаза и мягкие дурманящие губы... Задохнувшись от долгого поцелуя, Сергей оторвался от Кати и полез рукой в карман куртки.

— Это тебе. Символ Варшавы...

Челищев протянул ей небольшую фигурку сирены, выполненную в нефрите и серебре, которую он нашел в небольшом магазинчике в центре Варшавы. Катя взяла подарок и снова спрятала лицо на груди у Сергея, но когда он попытался найти ее рот своими губами, она резко вырвалась и взбежала на несколько ступеней по лестнице:

— Нет, нет... Тебе пора, Сереженька... Ребята ждут в машине. Я... Ни пуха тебе...

Катина рука поднялась было, словно для того, чтобы перекрестить Сергея, но бессильно упала.

— К черту! — угрюмо ответил Челищев и вышел из подъезда.

Между тем у Антибиотика был свой резон поручить именно Челищеву разборку с чеченами. В империи Виктора Палыча новость о том, что в группировке Адвоката появился бывший следователь, распространилась довольно быстро и особого энтузиазма ни у кого не вызвала. До Антибиотика дошла информация, что больше всех возмущался некто Миша-Стреляный, базировавшийся в гостинице «Прибалтийская». Команда Стреляного действовала полуавтономно, но авторитет Антибиотика признавала. Виктору Палычу передали, что Стреляный хочет с ним встретиться, и Антибиотик догадывался, о чем пойдет разговор. После отъезда Катерины и Сергея Виктор Палыч сидел в кабинете Степаныча и лениво смотрел телевизор, когда вошедший Гусь доложил, что подъехал Миша Стреляный и хочет поговорить.

— Что ему надо? — брюзгливо бросил Антибиотик.

— Говорит, важное дело, но скажет только тебе... Пустить его или как? — Гусь беспокойно переминался с ноги на ногу, постукивая кулаком правой руки о ладонь левой.

— Ладно, пусти его.

Через минуту в кабинет ввалился Стреляный — здоровенный бугай лет тридцати восьми в шикарном белом костюме, черной рубашке и белом галстуке. От правого угла рта через всю щеку до мочки уха у него тянулся безобразный шрам, давний след милицейской пули, за который и прозвали Мишу Стреляным.

Миша поздоровался и остался стоять, не получив приглашения присесть.

— Заходи, заходи, Мишенька, давненько не виделись, — притворно по-стариковски засуетился Антибиотик. — Догадываюсь, с чем пришел. Говорят, ты недоволен сильно, людей мутишь, пропаганды пущаешь...

Стреляный набычился и, не тратя времени на этикетные условности, брякнул:

— Я рупь за сто даю, что эта мразь — стукачок!

Виктор Палыч, кряхтя, заворочался в кресле.

— Надо полагать, ты о Сереже Челищеве говоришь? Ты не кипятись так...

Миша возмущенно повел плечами:

— Он же «цветной», он, пидор, людей допрашивал, я его...

— Остынь, говорю! — прикрикнул Антибиотик, и на его голос в кабинет заглянул Гусь.

Махнув ему рукой — мол, все в порядке, Виктор Палыч продолжил уже более спокойно:

— Сергей работает на нас, причем, надо сказать, неплохо. Пока, по крайней мере. Кабы все так работали, не надо было бы пацанам лишний раз подставляться.

Стреляный, не соглашаясь, покачал головой:

— Он крот мутный! Запалит всех! За ним сечь надо, чтобы не врубался! Пусть он хоть по мурке базаром шпарит — мусорское ебло не спрячешь. Пацаны волнуются, он, бля, фазана заряжает! Отдай его нам...

— Попридержи жало! — вновь повысил голос Антибиотик. — Ты бы лучше так с меринами разбирался... Что, молчишь? А этот пацан лавэ* делает. Ты, Миша, последнее время только перед фраерами понты кидаешь, а у него в махалово матка не опустилась. А братва... Братва разберется! Братва всегда уважает тех, кто умеет зарабатывать и дает заработать другим. Так что херню больше не лепи, у тебя других забот должно быть по горло! Два дня тебе, чтобы с меринами разобраться! А нет — так в нашем коллективе для тебя ловли не будет!

И Антибиотик отвернулся к телевизору, давая понять, что разговор окончен. Стреляный скрипнул зубами, потоптался на месте и, опустив голову, вышел из кабинета.

Больше всего Виктор Палыч не любил, когда на него давят, и в этих ситуациях поступал часто даже наперекор очевид-

---

* Лавэ — деньги (жарг.).

294

ной, казалось бы, логике. Конечно, он чувствовал определенную правоту в словах Стреляного и от этого раздражался еще больше. В конце концов он утвердился в своем решении послать на разборку с чеченами именно Сергея. Шансов на то, что разборка эта закончится мирно, было немного. И тогда проблема решится сама собой — хорошо в свое время сказал товарищ Сталин: «Нет человека — нет проблем!» И с чеченцами появится хороший предлог разобраться по-серьезному, оборзели они вконец на чужой земле. С другой стороны — если брошенный в воду щенок выплывет, то тем самым он докажет свое право на жизнь. У таких выплывших щенков может быть большое будущее... Главной страстью Антибиотика уже давно были не деньги и не женщины. Его главной страстью была власть, которую Виктор Палыч удовлетворял, играя людьми, как шахматными фигурками. Эта игра была увлекательнее карт и рулетки и, конечно, намного более рисковой. Известно ведь, что для настоящего игрока важен не только выигрыш, приз как таковой, но и ощущение риска, края... Поэтому Антибиотик часто обострял расклад там, где без этого, в принципе, можно было легко обойтись. С Челищевым же был вообще особый случай...

Виктор Палыч откинулся в кресле, обхватив затылок сцепленными пальцами, и пробормотал:

— Совпадения, совпадения... Посмотрим, что за кино получится...

Стрелка с чеченами состоялась вечером следующего дня на развилке дорог в десяти минутах езды от совхоза с гордым названием «Бугры». Уже по безлюдности выбранного для встречи места было ясно, что стрелка намечается конфликтная, и обе стороны приедут на нее с оружием. Обычные, бесконфликтные стрелки назначались в центре города, в людных местах, где особо автоматом не помашешь. Впрочем, были укромные места и в городе — Доктор как-то рассказал Сергею, что Олег, когда был еще на свободе, любил назначать встречи с «непонятными» людьми близ ЦПКиО, у Средней Невки, в местечке, которое братва не без юмора прозвала «кричи-не-кричи».

На стрелку ехали в неброских машинах. Доктор, Сергей, Танцор и Гусь сидели в синей «семерке», а еще четверо бойцов следовали за ними в зеленой «пятерке». Обе машины выглядели изрядно замызганными, однако по той скорости, с которой оба «жигуленка» уходили на перекрестках, Сергей понял, что двигатели на них установлены форсированные. Километрах в пяти от нужной развилки машины остановились на обочине дороги, и Танцор, открыв багажник «пятерки», приступил к раздаче оружия — в городе его раздавать было опасно, мало ли какой сумасшедший гаишник остановит... Экипаж «семерки» получил по «тэтэшке»* с запасным магазином и по одной гранате Ф-1, бойцы из «пятерки», возглавляемые неким Димой с добрым прозвищем Караул, взяли по короткому автомату АКСУ и по паре гранат. Сергей, с опаской взяв гранату, спросил у Танцора:

— Лимонки-то не «левые»?

— «Эфки» самое то, что надо — проверено! Ебошит так, что аж пиджак заворачивается... Нам их один прапор поставляет — прямо со складов. Пьяный всегда в полуговно, но точный, как штык! Берите, говорит, только у меня, надежнее матроса не найдете. — Против обыкновения Танцор был словоохотлив и весел, его глаза лихорадочно горели, а губы дергались в жутковатых ухмылках.

---

* «Тэтэшка» — пистолет ТТ (*жарг.*).

«Кровь, видать, чует», — с тоской подумал Челищев, пряча лимонку в карман куртки. Все защелкали затворами, загоняя патроны в патронники. Сергей тоже приготовил к бою свой ТТ и сунул его за ремень брюк — на левое бедро рукояткой вперед. Через минуту тронулись.

Чечены уже были на месте, фары их «девятки» и старенького «вольво» освещали развилку. Когда «семерка» с «пятеркой» остановились, из «вольво» вылез невысокого роста крепыш в коричневой дубленке и пошел к центру перекрестка.

Перед тем как Сергей вышел, к нему обернулся Танцор:

— Если поймешь, что всё — падай на землю! Это для нас сигнал будет.

— Грязно на дороге-то, — непонятно зачем буркнул Челищев, выходя. Бывает так иногда — от нервов ляпают люди разные несуразности.

— Грязь не кровь, ее смыть можно, — сказал Танцор уже в спину Сергею.

Чечену, стоявшему на развилке, было около сорока, виски его серебрились сединой, но в неторопливых движениях чувствовалась уверенная сила.

— Я Иса, — негромко сказал крепыш. — О чем говорить будем?

Сергей внутренне сжался. «У Степаныча» Антибиотик говорил ему об Исе — он был правой рукой Джохара, главы чеченского клана в Питере. Ходили слухи, что Иса закончил когда-то какую-то крутую школу телохранителей и умеет стрелять с обеих рук. С другой стороны, Иса мог принимать самостоятельные решения, в отличие от Челищева, который был уполномочен лишь настаивать на том, что они обговорили с Виктором Палычем.

— Меня зовут Сергей. Нужно выяснить вопрос по Либману и вашей фирме «Вайнах».

— А что там выяснять? — удивился чечен. Ветер теребил полы его расстегнутой дубленки, и он прижал их руками к бедрам.

Сергей молча протянул ему папку. Иса осторожно взял ее, следя за руками Сергея. Челищев демонстративно сцепил пальцы перед собой. Иса начал пролистывать документы в свете фар, время от времени искоса поглядывая на Сергея. Долистав до конца, он захлопнул папку и переложил ее в левую руку.

— Ну и что? Ты что, хочешь нам «кидок» предъявить, я не понял?

Сергей качнул головой:

— Дело не в «кидке», а в беспределе. Тот, кто беспределом занимается, мешает работать всем.

Иса нахмурился:

— Это наша проблема, мы и разберемся.

— Проблема общая, Либман защиты у нас попросил, он не под вами был, вы его на долях разводили.

Иса еле заметно покачал головой и начал протягивать Сергею папку. По тому, как он слегка напружинил ноги и пригнулся, Челищев понял, что, как только он возьмет папку, Иса выстрелит, и тогда уже ничего будет не остановить и не исправить. Он понял это каким-то звериным чутьем, и оно подсказало Сергею единственно правильное решение: протягивая руку, чтобы взять папку с документами, но еще не коснувшись ее, Челищев вдруг широко, весело заулыбался и сказал:

— Один вопрос, Иса... Как ты думаешь, многие шакалы в городе обрадуются, когда узнают, что мы тут друг друга перестреляли?

Иса на мгновение замер, но потом, увидев открытую улыбку Сергея, в которой не было страха, вдруг сам расхохотался и опустил руку с папкой. Отсмеявшись, они осторожно достали сигареты и закурили.

— Ладно, что ты предлагаешь? — спросил Иса.

— С алюминием — дело прошлое, забыли и проехали, — ответил Сергей. — Но квартиру, машину и фирму Либману надо вернуть. А работать он будет с нами.

— Но мы тоже деньги тратим — бабу его сумасшедшую в клинику устроили, — перебил Сергея чечен.

— Насчет бабы... Иса, ты же ведь не хуже меня знаешь, от чего она с ума сошла.

Иса скрипнул зубами и выругался по-чеченски:

— С теми шакалами из презренного рода отдельный разговор будет. Считай, что их уже нет в городе. Ладно, забирайте своего Либмана... Но по справедливости наша доля с его фирмы пусть десять процентов будет.

Сергей улыбнулся, но покачал головой:

— Ему сейчас тяжело, пусть вам будет пять процентов, а раскрутится — обсудим эту тему еще. (Челищев знал, что эти проценты — чистая формальность, своего рода «сохранение лица». На самом деле Антибиотик говорил ему, что и пятнадцать процентов отдать чеченам вполне допустимо. Важно было «забрать» Либмана, а его фирма — в сущности, вопрос условный. Сегодня у человека одна фирма, завтра — другая. Главное — с кем он работает.)

Иса эмоционально взмахнул рукой.

— Э-э, что мы, на базаре? Пусть будет пять!

Они пожали друг другу руки. Пожатие чечена было сухим и крепким.

— Завтра пусть наши бухгалтеры созвонятся и оформят бумаги. А для тебя лично — вот как меня найти, — чечен гордо сунул Сергею черную визитку, на которой золотом были напечатаны семь цифр радиотелефона и всего три буквы — ИСА.

— Приятно было говорить с мужчиной! — Иса еще раз стиснул ладонь Челищева и, резко повернувшись, зашагал к своим машинам. Только сев в «семерку», Челищев почувствовал, что рубашка у него на спине абсолютно мокрая от пота. Релаксация наступила не у него одного. Гусь матерился, как заведенный. Доктор заливался смехом, делясь впечатлениями:

— Ну ты даешь, Адвокат, прямо как волшебник, ей-богу. Я, когда он папку тебе назад пихать начал, подумал — все, жопа, сейчас мочилово начнется, начал уже колечко у «эфки» тянуть, а тут вы ржать начали!

Общее возбуждение не коснулось только Танцора, он, казалось, наоборот, был словно разочарован чем-то, смотрел в темноту на отъезжающие чеченские машины и еле слышно мычал какой-то мотивчик...

Последовавшие за разборкой с чеченами две недели Сергей крутился буквально как белка в колесе.

Антибиотик встретил его, словно космонавта, вернувшегося на Землю после выполнения важного правительственного задания. Столько похвал в свой адрес Челищев не слышал, наверное, за все годы работы в прокуратуре, и он смог в полной мере оценить справедливость поговорки о том, что доброе слово и кошке приятно... Всем участвовавшим в разборке браткам были выплачены изрядные премии, что, естественно, подняло авторитет Челищева в их глазах (деньги-то получать все любят, особенно когда они чистыми приходят, не через кровь). Сергею же, кроме всего прочего, были торжественно вручены ключи от новенького «вольво-940» и уже закатанный в пластик техпаспорт на его имя. Челищев, никогда раньше не имевший своей машины (а тем более такой шикарной), радовался, как ребенок, и, казалось, готов был даже спать в своей «вольво». Тем более что спать ему хотелось постоянно: Виктор Палыч свалил на Сергея чуть ли не все рабочие стрелки группировки Адвоката. Только теперь Челищев начал осознавать истинные масштабы империи Антибиотика. Встречаясь в день по семь-восемь раз с различными бизнесменами и бандитами из организации Виктора Палыча и других сообществ, Челищев понимал, что Антибиотик сознательно «светит» его, но, с другой стороны, он получал огромное количество важнейшей информации — кто кого «держит», кто кому платит, кто с кем на долях, а также — кто какое место занимает в сложной иерархии бандитского Петербурга. Несмотря на то, что почти все стрелки были мирными, они забирали массу нервной энергии, и Сергей приходил домой каждый день лишь за полночь (после обязательного вечернего доклада Виктору Палычу), у него хватало сил лишь на то, чтобы выкурить сигарету и упасть лицом в подушку, иногда даже не раздеваясь. Катерину он почти не видел — начался декабрь, и, как это всегда бывает под конец года, у нее накопилась масса финансовых вопросов, требующих немедленного решения, к тому же она начала работать с воспрянувшим к жизни Либманом, который буквально фонтанировал разными проектами и идеями. Либман долго не мог поверить, что его рабство у чеченов закончилось, он плакал, говорил Сергею и Кате, что он их должник на всю жизнь, и не только он, но и дети его, а однажды сделал даже попытку поцеловать Сергею руку. Сергей возмутился и руку свою у Миши отнял, но в душе ему, конечно, была очень приятна благодарность «Эйнштейна», и он поймал себя на мысли, что если бы Либман пришел со своими проблемами в прокуратуру, то, скорее всего, они бы не только не были решены, но еще и усугублены. Эта мысль грела, давала некое моральное оправдание резким переменам в жизни Челищева, и все равно он время от времени чувствовал себя волком, несущимся вместе с чужой стаей по офлажкованным дорожкам. Впрочем, размышлять об этом серьезно времени не было совсем, поток событий, подхвативший Сергея, становился все более стремительным.

Всерьез задуматься о том, кем он постепенно становится, Челищева заставили два события, пришедшиеся на один день. Однажды он, Доктор, Дима-Караул со своими ребятами и Гусь возвращались со стрелки с «пермскими», где перетирался сложный вопрос относительно долей с одной известной меховой фирмой. Развалившийся на заднем сиденье Гусь меланхолично смотрел в окно и вдруг с криком: «Стой!» — хлопнул по плечу сидевшего за рулем Доктора. Толик резко затормозил, и Гусь выскочил из машины. Челищев недоуменно оглянулся и увидел, как Гусь подскочил к какой-то молодой мамаше, прогуливавшейся с коляской, и выдернул из коляски огромную красно-желтую погремушку. Женщина замерла от ужаса, а довольный Гусь, потряхивая погремушкой и не обращая внимания на надрывавшегося в коляске ребенка, направился обратно к машине. Словно какая-то пружина выкинула Сергея на улицу.

— Клево, а? — Гусь не успел закончить фразу, потому что Челищев резко вывернул ему кисть, выбил игрушку и отшвырнул его к «мерседесу».

— Ты че, крутой? — закричал Гусь, пригибаясь и наступая на Сергея. Глаза Челищева закрыла розовая пелена ненависти, он начал пританцовывать на месте, еле слышно шепча:

— Ну, давай, падла, давай!!!

Видимо, даже отмороженных мозгов Гуся хватило на то, чтобы понять, что с Сергеем ему сейчас не справиться. А может быть, он шкурой почувствовал чудовищную силу заряда ненависти, исходившей от Челищева... Как бы то ни было, Гусь сплюнул, развернулся и, бормоча ругательства, пошел прочь. Проходя мимо какой-то припаркованной «девятки». Гусь пнул ногой ее заднюю дверь и, не обращая внимания на завывшую сигнализацию, стал ловить такси посреди улицы.

Подобрав трясущимися руками погремушку, Сергей подошел к женщине с ребенком и положил игрушку в коляску. Молодая мама глянула на него дикими глазами и, не сказав ни слова, толкая коляску перед собой, бросилась бежать.

Доктор, на протяжении всей сцены не вылезавший из-за руля «мерседеса», кашлянул, когда Челищев сел в машину:

— Зря ты так. Адвокат... Гусь пацан сложный, его заносит иногда... Ему на боксе все мозги отбили, у него даже справка из «дурки» есть. Но он пацан правильный, проверенный...

Сергей ничего не ответил Доктору и, когда тот довез его до популярного у городской администрации и бандитов парикмахерского салона на Литейном, где Челищев оставил свою машину перед стрелкой, сухо попрощался и вышел.

Доктор хмыкнул и, улыбнувшись Челищеву (мол, ничего, все перемелется), уехал.

Сергей курил уже третью сигарету подряд, сидя в своем сверкающем «вольво», когда заметил, как переходит Литейный знакомая фигура в джинсах и потертой куртке бычьей кожи.

— Степа! — закричал Сергей, вылезая из машины, и бросился к Маркову. — Здорово, Степа! За тобой и не угнаться... Ты куда пропал? Не звонишь...

— Здорово, Челищев, — Марков, казалось, совсем не обрадовался неожиданной встрече. — Ты, говорят, крутым стал...

— Жизнь идет, Степа... А ты что, недавно вернулся? Я наводил справки, тебя, по слухам, покидало по сводным бригадам — сначала Москва, потом Ижевск... Хищения в особо крупных поднимали?

— Все-то ты знаешь, Челищев, — с раздражением ответил Марков, внимательно разглядывая «прикид» Сергея и его машину.

— Слушай, Степа, — засуетился Сергей, — что мы с тобой тут, посередь Литейного, как бедные родственники... Давай зайдем в кафешку, перекусим, посидим, поговорим... Я так рад, что тебя встретил!

Степа не разделил энтузиазма Сергея и словно вылил на него ушат воды:

— Не получится у нас с тобою разговора, Челищев. Мы теперь по разные стороны баррикад.

— Ты что, Степа?! Какие баррикады?! — Челищев ошеломленно помотал головой и схватил Маркова за рукав куртки. Степан стряхнул руку Сергея и отстранился.

— Всех ты продал, Челищев! И товарищей своих, и родителей, меня, себя — всех... Давай, лижи дальше бандюгам штиблеты, служи исправно... А мои телефоны забудь!

Марков брезгливо сморщился, развернулся и зашагал в сторону Большого дома.

— Что ты несешь?! — заорал Сергей ему в спину. — Ты же ничего не знаешь! Степа! Я же... Ты же... Степа!

Но Марков уходил, не оглядываясь и словно не слыша криков Челищева. На Сергея начали оборачиваться люди. Он лихорадочными движениями достал сигарету, прикурил, сделал пару затяжек и тут же смял сигарету в кулаке, не чувствуя боли ожога. Трясясь от обиды, Сергей прыгнул в «вольво» и рванул с места с чудовищной скоростью, не обращая внимания на шарахнувшиеся в разные стороны машины...

Он весь день проездил бесцельно по городу, давя в груди тоску, обиду и какую-то странную тупую боль, какую раньше никогда не чувствовал. Под вечер Сергей поехал к Степанычу, твердо решив серьезно поговорить с Антибиотиком. Правда, он сам толком не понимал, о чем хочет говорить, чувствовал только, что что-то нужно менять, иначе он сорвется... Но Антибиотик опередил его и на этот раз.

Когда Челищев появился в ресторане, там его уже ждали Катя и Виктор Палыч. Антибиотик, не давая сказать Сергею и слова, заговорил сам:

— Заходи, заходи, садись... Наслышан уже, как вы с Гусем друг дружку чуть не порвали... Можешь ничего не объяснять, я сам все прекрасно понимаю, последние недели у тебя выдались тяжелые, нервные, но, самое главное, — не бесполезные... Мы тут с Катериной Дмитриевной потолковали — надо тебе на немного хотя бы профиль работы поменять, а то так и до нервного срыва недалече... Тем более и объективная необходимость есть — надо Екатерине с крестником твоим, Либманом, помочь. Ты же за него теперь отвечаешь.

Сергей опустился на стул, как сдувшийся шарик. Весь его пыл как-то угас, Катерина с тревогой смотрела на него, успокаивающе улыбаясь...

— А какая помощь от меня нужна? — буркнул Челищев, наливая себе сока.

Антибиотик вскочил со стула и прошелся по кабинету.

— Какая помощь? Да вот тут ребята посчитали немного — очень интересный проект получается по поставкам компьютеров через Прибалтику. И заказчики уже есть, и поставщики, с деньгами вот только туговато — на первом этапе в этот проект вкладывать много надо, зато получить можно в два, два с половиной, а то и в три раза больше, чем вложишь...

— Ну а я-то тут чем могу помочь? — удивился Сергей.

— Сережа, — вступила в разговор Катя, — ты не знаешь такого Габриловича? Бориса Марковича Габриловича?

— Бориса Марковича? Помню, конечно! А при чем здесь он?

Борис Маркович Габрилович работал когда-то вместе с Александром Владимировичем, отцом Сергея. Собственно, Габрилович был долгое время директором деревообрабатывающего комбината, а когда ушел в Москву на повышение — в министерство лесной и деревообрабатывающей промышленности, — именно с его легкой руки Челищев-старший занял директорское кресло. Габрилович несколько раз бывал дома у Челищевых, и всякий раз принимали его, как дорогого гостя.

— Видишь ли, Сережа, — немного помолчав, начала Катерина, — для того, чтобы осуществить рассчитанную Либманом операцию, нужны действительно очень большие деньги. Нужен почти миллион долларов!

— Сколько?! — поразился Челищев.

— Миллион. Долларов. Ты не ослышался. И достать такие деньги сейчас очень тяжело. Все боятся вкладывать, боятся рисковать... А Габрилович недавно стал банкиром, он один из хозяев «Лесобанка» в Москве. Банк этот совсем молодой, но крепкий, с деньгами, с поддержкой. Словом, мы тут с Виктором Палычем подумали, что, учитывая твое знакомство с Габриловичем, можно было бы попросить у него кредит... Кредиты-то сейчас только знакомым и дают...

Сергей оторопело переводил взгляд с Катерины на Антибиотика и с Антибиотика на Катерину.

— А откуда вы узнали, что я знаком с Габриловичем?

Виктор Палыч вздохнул и улыбнулся:

— О-хо-хо, Сереженька... Были времена, я многих городских руководителей знавал лично. Знал и Бориса Марковича, мы ведь с ним даже, так сказать, в одной отрасли работали... Это еще до того было, как директором комбината стал твой отец...

Сергей опустил голову.

— Последний раз я Габриловича видел на похоронах родителей... Но мы тогда почти не говорили, я в таком состоянии был, что...

Виктор Палыч понимающе закивал:

— Да, да... Слышал я об этой трагедии, прости, что напомнить пришлось... Убийцу-то, душегуба этого, вроде как поймали?..

Челищев поднял голову и словно натолкнулся на холодный испытующий взгляд Антибиотика. Странное чувство тревоги и беспокойства овладело Сергеем, ему вдруг показалось, что где-то внутри, в самом сердце, чей-то знакомый голос еле слышно предупреждает его об опасности...

— Поймать-то поймали... Да не уберегли — погиб он, бежать пытался, — медленно подбирая слова, стал отвечать Челищев. — Там несколько странностей было, хотел я с этим парнем поговорить, но не успел — все ответы на мои вопросы он с собой в могилу прихватил...

— А что за странности? — живо поинтересовался Антибиотик.

Сергей пожал плечами:

— Да не то чтобы даже странности. Путался парень немного в показаниях... А уточнить я ничего не успел!

— Да, — вздохнул Антибиотик, — у мертвого, как известно, не спросишь...

Помолчали. Челищев закурил и вдруг с удивительной отчетливостью вспомнил стекленеющие глаза Миши Касатонова и его угасающий шепот: «Я не... не убивал, я даже не...» Сергей прикрыл глаза, словно опасаясь, что воспоминания могут через них выплеснуться наружу.

— Ладно, — прервал молчание Виктор Палыч, — мертвым — дай Бог упокоение, а живым о делах помнить надо... Ну что, Сережа, съездишь с ребятами в Москву, поможешь кредит протолкнуть? Кстати, Борису Марковичу обо мне знать вовсе не обязательно. Мы расстались с ним... э-э... сложно.

— Попробую, — кивнул Челищев. Его не покидало странное чувство, что Антибиотик что-то знает о смерти его отца и матери, но не утраченный еще нюх следователя подсказывал, что время прямых вопросов не наступило.

В Москву они поехали на следующий день — Катя, Сергей, Миша Либман и, конечно, неизменный ангел-хранитель Катерины, Доктор. Ехать решили на поезде, а не на машине, чтобы нормально выспаться и явиться к Габриловичу свежими и энергичными. На четвертых они взяли три «эсвэшных» купе — по одному для Катерины и Сергея и одно на двоих для Доктора и Михаила. Либман совершенно преобразился с того раза, как Сергей увидел его в клинике ВМА: на нем был дорогой, замечательно сидящий костюм, ослепительная рубашка и шелковый галстук, дорогие итальянские туфли матово блестели, а длинный белый плащ делал Либмана похожим не то на иностранца, не то на знаменитого режиссера. Миша пополнел, на его щеках появился здоровый румянец, и он постоянно отмачивал какие-то свои еврейские хохмочки, от которых Сергей улыбался, Катерина хихикала, а Доктор гулко гоготал на весь вагон. И только в самой глубине глаз Либмана остались страх и боль... Но они были почти незаметны.

Когда все улеглись, Сергей, поворочавшись на своей полке без надежды заснуть, встал, вышел в коридор и тихонько постучал в дверь Катиного купе. Она еще не спала и отозвалась сразу:

— Кто там?

— Это я, — прошептал Сергей. — Открой на минуточку, мне надо тебе кое-что сказать.

— Поздно уже, Сережа, давай завтра поговорим, — ответила Катерина, но дверь все-таки открыла — по типичной женской логике. Сергей проскользнул к ней в купе и сразу же, без слов, схватил Катерину и начал ее целовать. Она глухо постанывала, отвечала ему на поцелуи, но когда рука Челищева скользнула Кате под халат, она изо всех сил уперлась ему в грудь.

— Нет, нет, не сейчас!

— А когда? Когда? — Челищев продолжал прижимать ее к себе, не обращая внимания на сопротивление.

— Подожди немного, ох... Сереженька, нет!

Катя говорила шепотом, но Сергею казалось, что она кричит.

— Сколько можно ждать, я люблю, люблю тебя, ты меня измучила.

— Нет, это ты меня измучил!

В темноте купе было непонятно, — смеется Катерина или плачет.

— Сережа, пусти, ты что, решил меня в поезде совратить?

— Я не могу больше, скажи — когда, только не мучай больше!

Катерина шумно дышала.

— Я не знаю, Сережа, мне сейчас вообще нельзя! — и вдруг выпалила: — Через десять дней! Ой!

Сказала и сама испугалась.

Челищев выпустил ее из рук и, оглушаемый стуком сердца, машинально переспросил:

— Через десять дней? За базар ответишь?

Катерина фыркнула:

— Да, уж правду говорят — с кем поведешься, от того и наберешься.

Помолчала и добавила:

— Отвечу, раз уж сказала! Выцыганил, горюшко ты мое... А сейчас иди спать, не трави себя и меня... Иди спать, Сереженька...

Обалдевший от счастья «Сереженька» выскочил из Катиного купе и побежал в тамбур курить. Он курил и пел, и был словно пьяный, хотя и не пил ни капли спиртного. Жизнь была прекрасна. Мысли об Олеге, родителях, Маркове и прочих грустных темах ушли, словно испугавшись силы его радости...

Утром на Ленинградском вокзале Катерина, немного поколебавшись, предложила всем заехать в квартиру на Кутузовском — в ту самую, откуда осенью 1988 года ее увез Олег. После бегства в Ленинград она ни разу здесь не была, лишь передала запасные ключи соседям-пенсионерам, чтобы те за небольшие деньги поддерживали чистоту и поливали цветы.

Квартира встретила их удивительной чистотой и свежестью. Видно было, что пенсионеры тщательно отрабатывали Катины переводы. Катя осторожно обошла квартиру — все в порядке, все на своих местах, словно и не было четырех с лишним лет в Питере. Но темное пятно на паркете в гостиной, там, где Олег убил предводителя мутноглазых, быстро вернуло Катерину к реальности.

Пока все по очереди принимали душ, Катя соорудила немудреный завтрак. Потом мужчины надели свежие рубашки, Катя подкрасилась, и вся компания двинулась в «Лесобанк».

Габрилович встретил Сергея радушно, долго ахал, тряс руку, приглашал всех в кабинет (кроме Доктора, оставшегося в приемной), заказал у секретарши кофе на четверых и попросил полчаса его не беспокоить.

— Ну, Сережа, какими судьбами в златоглавой? — спросил Габрилович, когда все успели пригубить кофе.

— К вам за помощью, Борис Маркович, — ответил Сергей.

Габрилович вопросительно приподнял брови, а Челищев продолжал:

— Адвокатская практика кормит меня не так уж чтобы очень, ну и... В общем, стал и я поглядывать в сторону бизнеса... А тут еще встретил, можно сказать, однокурсника — прошу любить и жаловать, Миша Либман, ну и возникли интересные идеи.

— О! — сказал Габрилович. — Так вы и есть Михаил Либман? Слышал, слышал о ваших способностях, молодой человек! Только вот с год назад вы куда-то пропали с финансового, так сказать, горизонта. Отъезжали, вероятно?

Михаил кашлянул и покраснел:

— В некотором роде... Пришлось, знаете ли, столкнуться с некоторыми проблемами, вот как раз Сергей Александрович и помог их решить.

Габрилович понимающе кивнул и повернулся к Кате:

— А эта очаровательная девушка — очевидно, ваша, Сережа...

Борис Маркович не договорил, тактично давая Сергею закончить, Сергей замялся, а вот Катя не растерялась, улыбнулась, кивнула и сказала:

— Жена. Екатерина Дмитриевна.

У Сергея помутилось в глазах. Он еле удержал на своем лице нормальное выражение. Больше всего ему в этот момент захотелось, чтобы Габрилович крикнул: «Горько!» Но Борис Маркович этого делать не стал.

— Ну, давайте посмотрим ваши бизнес-планы, молодые люди...

Либман протянул Габриловичу папку с документами, и они полностью углубились в чисто профессиональный разговор. Сергей пытался было прислушиваться, что-то понять, но потом убедился, что это бесполезно — половину слов он вообще слышал первый раз. Не пытаясь больше прислушиваться к живым переговорам Габриловича — Либмана, Сергей принялся делать Кате страшные глаза, на что она отвечала ему такой улыбкой, что у Челищева возник соблазн поинтересоваться у Бориса Марковича насчет отдельного кабинета.

— Ну, что же, молодые люди, — сказал Габрилович минут через двадцать. — Все это весьма интересно. Весьма интересно! Я рад, что у нас такая талантливая молодежь растет, так сказать, смена. Рад, право слово, просто как-то биологически рад! Я думаю, мы сможем сотрудничать! С батюшкой вашим, Сергей Александрович, у нас никогда проблем не возникало... Какой был человек! Эх!..

Габрилович скорбно покачал головой, помолчал...

— Ладно, времени терять не будем! Михаил Соломонович, можете идти к начальнику кредитного управления, надо составить все необходимые бумаги, я ему сейчас позвоню... Э-э... Неформальные дополнения к договору кредитования, полагаю, известны?

Либман и Катя с готовностью закивали. Сергей ничего не понял, но на всякий случай тоже кивнул.

— Обычно — это процентов десять-пятнадцать... Но, учитывая, что мы тут все свои — я думаю, остановимся на восьми... Ладушки?

Катя с Либманом снова закивали.

— Ну и хорошо. Тянуть с этим не будем. Чем быстрее двигаются деньги, тем быстрее они приносят доход...

Все встали, и тут Сергей, не удержавшись, спросил:

— Борис Маркович, как же вы все-таки решились — из министерства в банкиры? Да в нашей-то стране, с нашими законами, которые меняются каждый день?

Габрилович улыбнулся:

— Я вам одну умную вещь скажу, Сергей Александрович. Человек, который столько лет танцевал на проволоке, пройдет легко по любому мостку, даже по висячему!

И Борис Маркович снисходительно похлопал смутившегося Челищева по плечу...

Оформление кредита заняло два дня, и Катя удивилась такой неправдоподобной быстроте.

— Ну что вы, Катерина Дмитриевна, — просветил ее Либман. — Можно было еще быстрее. Самое главное в кредите — это решение его дать. А в нашем случае, — Михаил выразительно потер пальцем о палец, — решение было принято!

Катя была рада поскорее уехать из Москвы. Старая квартира навевала страшные воспоминания.

Когда они вернулись в Петербург и должны были разъехаться по своим делам, Сергей наклонился к уху Катерины и нежно сказал:

— Осталась неделя, ненаглядная ты моя...

Катя рассмеялась и, укоризненно посмотрев на Сергея, сказала:

— Ох и быстро же ты, Челищев, научился людей за языки прихватывать! Я всегда поражалась твоим способностям схватывать все на лету. Не волнуйся, Сереженька, я помню, сколько дней осталось...

Челищев снова стал ездить по стрелкам и разбирать проблемы «подшефных» бизнесменов. Делал он это чисто механически — лица и события проносились словно мимо него, почти не задевая. Антибиотик видел, что с Сергеем что-то происходит, но ни о чем не спрашивал, улыбался только хитро да щурился. А Челищев этого не замечал. Он считал дни.

Из состояния любовного ступора его вывел ночной звонок Габриловича. Звонок этот раздался за три дня до наступления срока, продекларированного Катей. Сергей уже спал, поэтому он не сразу понял, кто говорит и о чем. А голос Бориса Марковича на другом конце провода просто срывался от бешенства:

— Вы мошенник, молодой человек, вы негодяй!!!

Челищев, узнав Габриловича, даже потряс головой, чтобы убедиться, что не спит.

— Борис Маркович, о чем вы, что случилось?!

Габрилович, казалось, даже задохнулся от возмущения.

— Ах ты... щенок! Он еще спрашивает, о чем я?! Где доля?

— Какая доля? — не понял Сергей.

— Какая? Ах ты... Мошенник! По такой дорожке решил пойти? На смерти родителей спекулируешь?! Смотри, не просчитайся, как папаша!

Сон мигом слетел с Челищева, он даже подскочил.

— Что?! Борис Маркович, подождите, что вы сказали о моем отце?! — Сергей закричал так, что зазвенела хрустальная люстра на потолке, но в трубке уже гудели сигналы отбоя...

Целый час Челищев напрасно пытался дозвониться до Габриловича, но дома у него никто трубку не брал — либо был отключен телефон, либо Борис Маркович звонил не из дома.

Сергей, пометавшись по квартире, решил позвонить Катерине. Она, видимо, спала и сняла трубку лишь на одиннадцатом гудке:

— Слушаю...

— Катя, привет, это Сергей!

— О Господи, Сережа, ты знаешь, сколько времени? Ну что за нетерпение такое, ты же взрослый мужик, — похоже, Катя решила, что Сергей решил позвонить ей среди ночи, чтобы напомнить, сколько времени осталось до назначенного ею дня.

— Да нет, Катюха, я не за этим... Слушай, сейчас был очень странный звонок от Габриловича...

И Сергей подробно пересказал ей свой разговор с Борисом Марковичем. Катя, не перебивая, выслушала его, сказала, что все поняла, что такие разговоры по телефону лучше не вести, и предложила все обсудить вечером у Степаныча. Сергей ничего возразить ей не смог, и Катерина повесила трубку.

Вечером следующего дня по дороге к Степанычу Челищев, сидя за рулем «вольво», слушал «Маяк». В блоке новостей комментатор вдруг выдал информацию, от которой Сергея чуть не вынесло на тротуар.

«...примерно в 17.15 в подъезде собственного дома был обнаружен мертвым председатель правления „Лесобанка" Борис Габрилович. По поступившей в нашу редакцию информации, причиной смерти стали два выстрела из пистолета ТТ в спину и в затылок. Пистолет убийца бросил рядом с трупом, что позволяет сделать вывод о высоком профессиональном уровне киллера... Партия экономической свободы немедленно выступила с заявлением, текст которого буквально несколько минут назад был передан в нашу редакцию...»

Оттолкнув стоявшего у дверей Гуся, Сергей буквально ворвался в кабинет ресторана и с дикими глазами крикнул сидящим за столом Кате и Антибиотику:

— Габриловича убили! Сегодня в Москве застрелили... «Маяк» только что передал!

Катерина ахнула и прижала руку ко рту. Виктор Палыч отреагировал более спокойно. Он хмыкнул, откинулся в кресле и, покачав головой, протянул:

— Быстро, однако...

— Что значит «быстро»?! Виктор Палыч?! Что значит «быстро»?! Что вообще происходит?

Антибиотик посмурнел лицом и предостерегающе поднял руку:

— Ты, Сережа, голос-то попридержи, я тебе не Гусь, чтоб на меня гавкать!

Челищев шумно выдохнул и, не снимая куртки, уселся за стол, всем своим видом демонстрируя ожидание объяснений.

Виктор Палыч недовольно посопел, усмехнулся и начал говорить:

— Габрилович, царствие ему небесное, когда-то работал со мной. И обижаться на меня ему не за что — все у нас было по-людски и по справедливости... Только жадность человека границ не знает — перевели Бориса Марковича в Москву, плюнул он на наши отношения и переключился на Гургена. Слыхали про такого, молодежь?

Катя страшно побледнела, а Сергей неуверенно кивнул.

— Гурген... Это отдельная история, и вам тонкости наших отношений без нужды. Человек он серьезный. Катерина Дмитриевна, если захочет, может это тебе, Сережа, подтвердить... Без Гургена Габриловичу банка было бы не видать, как своих ушей. М-да... Но за все, как известно, нужно платить... И я полагаю, что Габрилович обязан был выдачу всех крупных кредитов согласовывать — желающих-то много, и за большие кредиты часть денег наличкой всегда кредиторам отдают... А в нашем случае Борис Маркович, судя по всему, решил скрысятничать*, понадеялся на быстрый возврат, на то, что никто ничего не узнает... А такое не прощается...

Сергей поднял голову:

— Но Габрилович кричал на меня, обзывал мошенником и спрашивал, где доля...

Антибиотик пожал плечами:

---

* Крысятничать — скрывать (жарг.).

— Похоже, он откуда-то узнал, что ты работаешь со мной... И решил, что наш кредит с самого начала планировался как «кидок». Вот нервы у него и сдали...

Челищев в упор посмотрел на Антибиотика.

— А на самом деле... «кидок» предполагался или нет?

Виктор Палыч вздохнул и долго молчал. Потом покачал головой и, хмыкнув, ответил:

— Странный ты парень, Сережа... Смотря что называть «кидком». Кредит был оформлен официально — на бумагах с печатями, — все как положено... и никто эти деньги красть, как ты понимаешь, не собирался... Но вот насчет его доли в восемь процентов налом... Честно тебе отвечу: окончательного решения — отдавать эти деньги или нет — у меня не было. Мне хотелось подождать, посмотреть, как наш проект раскрутится, какую прибыль даст... Глядишь — и повторили бы операцию, да и покрупнее...

Сергей перевел глаза на Катерину, она его взгляд не выдержала и повернулась к Антибиотику, словно ища поддержки. Челищев помотал головой, словно от боли, и снова уперся глазами в холодный взгляд Виктора Палыча.

— Но ведь он мне поверил... А я, получается, его под пули подвел...

Антибиотик вскинул руку, словно останавливая Сергея:

— Стоп-стоп-стоп! Под пули он себя подставил сам, через жадность свою и через нежелание делиться... Сделал бы он все как положено, рассказал бы о предложении кому надо — тебя бы как космонавта проверяли, вместе с Либманом и Катей... Но он этого не сделал — потому что хапнуть хотел один, на себя...

Сергей медленно встал.

— А вы, значит, Виктор Палыч, все это заранее предусмотрели?

Антибиотик по-волчьи оскалился, вроде как улыбался... Сергей заметил, как вздрогнула от этой улыбочки Катерина...

— Я, Сережа, не Господь Бог, все предусмотреть не могу... Определенный расчет на тебя был, не скрою... Ну и что? Бизнес — вещь жестокая, и те, кто в эти игры играют, — не пионеры на полянке. И не смотри так на меня, не стоит... Каждый человек — всегда сам причина своих несчастий. А уж тем более Борис Маркович... О покойниках плохо не говорят, но я думаю, у многих были резоны с ним посчитаться. Поговаривали, стучал покойник на комитет, как и все порядочные евреи. Что там с ним на самом деле случилось — Бог разберет и рассудит. Но ты .себя не терзай, твоей вины здесь нет. И хватит об этом. Отдохни и расслабься.

Челищев медленно, словно смертельно устав, побрел к выходу из кабинета. У самой двери он оглянулся:

— Габрилович что-то знал про моего отца...

Виктор Палыч вздохнул. Видно было, что и ему этот разговор стоил нервов и сил.

— Может, и знал. А может, просто так базланил, со злобы. У мертвого, как известно, не спросишь...

— Да, — сказал Челищев. — Не спросишь.

И, ссутулившись, вышел из кабинета.

На протяжении всего их разговора Катерина не проронила ни слова. Когда Сергей закрывал за собою дверь, она сидела бледная, опустив глаза в тарелку...

На улице Челищев постоял немного, посмотрел на затянутое облаками черное небо, потом сел в машину, положил руки на руль и опустил на них голову. Он просидел так долго и открыл глаза, лишь когда правая передняя дверь машины открылась, пропуская внутрь салона Катю. Они закурили, помолчали. Катерина не выдержала первой. Глядя прямо перед собой, она сказала срывающимся голосом:

— Я не знала... Я не думала, что так получится... А если бы знала, что рядом с Габриловичем стоит Гурген, то вообще ни за что бы в Москву не поехала...

Ее вдруг как прорвало. Закрыв глаза руками, она начала рассказывать Челищеву про Гургена и про ту роль, которую он сыграл в ее жизни. Она говорила долго, голос ее под конец прерывался все чаще, а закончив рассказ, Катя не выдержала, уткнулась лицом Сергею в грудь и зарыдала. Челищев обнял ее и начал медленно гладить рукой по волосам.

— Тише, тише, родная моя... Все уже прошло, все позади, ничего не бойся... А занятный старикан этот Виктор Палыч... Интересно, что бы с нами в Москве было, если бы Габрилович сразу рассказал все Гургену?.. — Катя не ответила, только еще крепче прижалась лицом к его груди. Они долго сидели молча, думали каждый о своем и не видели, как из маленького окошечка в двери кабачка наблюдают за ними злые глаза Гуся. А до назначенного Катей срока оставалось два дня...

Сергей не спал всю ночь, вспоминая свой разговор с Антибиотиком, его волчью усмешку и холодные глаза. Челищева не покидало чувство, что Виктор Палыч что-то недоговаривает, таит в себе какое-то знание. А знание это касается смерти Челищевых-старших... Сергей сам не мог объяснить себе, откуда пришло к нему это чувство. Он лежал на диване, курил и думал: «Так, давай все сначала... Габрилович, предположительно, узнает, что я связан с Антибиотиком, решает, что весь наш кредит — „кидок", срывается и звонит мне. Упоминает отца в странном контексте... Бросает трубку... Я звоню Катерине — она звонит Антибиотику... Габрилович звонил мне в два часа ночи, а примерно в 17.00 того же дня его убивают... При всем желании Антибиотик не мог успеть организовать это убийство... Хотя — до Москвы хорошим ходом часов девять езды... Даже меньше... Но ведь нужно приготовиться, обставиться. С другой стороны, его мог убрать и Гурген... Но что все-таки Габрилович мог знать об отце?.. Катерина, похоже, и впрямь ничего не знала... Катенька моя родная, куда же ты влипла... И я вместе с тобой. И Олег... Олег... Господи, ну что же делать?!»

Сергея просто корежило от противоречивых чувств. С одной стороны, он очень

332

хотел, чтобы Олег поскорее вышел из «Крестов», потому что Званцев был, пожалуй, единственным человеком, которому он мог попытаться рассказать все. Но Катя... Как же быть с ней?

«Во что же мы влипли с вами, ребята...»

Он забылся тяжелым сном лишь под утро. И почти сразу его разбудил телефонный звонок. Тряся тяжелой головой от выкуренных за ночь сигарет, Сергей снял трубку и разбитым голосом сказал:

— Да, слушаю.

— Это Катя. — Ее голос тоже был полон бесконечной усталости.

— Что случилось, родная? Ты решила сократить сроки?

— Нет, — Катя не приняла шутки. — Я по другому поводу. Сегодня в двенадцать выпускают Олега. Следователь все-таки принял решение об изменении меры пресечения...

Челищев нашарил последнюю сигарету в пачке и закурил. С минуту оба молчали. Потом Сергей спросил:

— Ты... знала?.. Когда срок назначала? Знала?

— Нет, Сережа, не знала... Но какое это теперь имеет значение...

День выдался не по-декабрьски солнечным и светлым. На набережной у

«Крестов» было многолюдно. У «Крестов» всегда много народа — кто передачи принес, кто кричит, переговариваясь с теми, кто сидит. Но в этот день у следственного изолятора творилось настоящее столпотворение — не меньше десяти иномарок дополнялись «девятками» и «восьмерками». Окруженная свитой «быков», с огромным букетом роз напротив проходной стояла Катя. Челищев придерживал ее за локоть и старался не видеть заплаканных Катиных глаз. Несмотря на многолюдность, было почему-то тихо, смолкла даже «голосовая почта»... Сергей смотрел на двери тюрьмы и думал о том, сколько уже десятилетий подряд каждый день к этим воротам приходят люди — чтобы встретить родных, друзей и любимых... А сколько из тех, кто приходил встречать, так никого и не дождались... От грустных мыслей его оторвал знакомый веселый голос:

— Ну вот и свиделись!

Званцев был в той же кожаной куртке, в какой Сергей видел его последний раз. Он мало изменился, разве что побледнел да морщин вокруг глаз прибавилось... Катерина на деревянных ногах качнулась к Олегу, отдала ему букет, а потом вдруг страшно, в голос, зарыдала... И братва вокруг сразу же, как по команде, весело загомонила, задвигалась. Каждый старался протиснуться к Олегу поближе, хлопнуть его по плечу или пожать руку. Олег улыбался, пожимал протянутые руки, левой рукой прижимая к груди рыдающую жену. Наверное, он считал, что это — слезы радости... И кто знает, ошибался он или нет... Кто из мужиков может понять женские слезы? Разве что «голубые»...

— Серега, здорово, братишка! Ух ты, какой стал, я тебя и не узнал сразу... Говорят, на Адвоката уже откликаешься? Братишка ты мой!

Сергей глянул в радостные глаза Олега, шагнул ему навстречу, и Олег обнял его правой рукой, продолжая левой прижимать к себе ревущую Катерину. Они долго стояли так, обнявшись втроем, а вокруг гомонила братва.

Наконец Катерина немного успокоилась и оторвала от груди Олега свое зареванное лицо:

— Олежа, ты, наверное, голоден?

Олег расхохотался:

— Свобода, Катенок, свобода! Десять минут свободы заменяют килограмм сметаны!

Званцев обернулся к Челищеву и, улыбаясь, спросил:

— Ну, что молчишь, братишка?.. День-то сегодня какой?!

Сергей, пряча глаза, ткнулся лбом в плечо Олега и тихо сказал ему:

— Я рад. Рад, что все кончилось!

— Кончилось? — Олег заразительно расхохотался. — Все только начинается, Серега. Теперь, когда мы все вместе, — такое замутить можно...

К Званцеву протиснулся Толик-Доктор:

— Босс, наши «Венецию» сняли, хань готовится.

Олег нетерпеливо отмахнулся:

— Да какая «Венеция», я тюрягой насквозь пропах!..

Но Катерина негромкой фразой остановила его:

— Насчет «Венеции» Виктор Палыч распорядился... Сам туда к половине четвертого подъедет...

Улыбка Званцева немного увяла, он вздохнул и кивнул головой:

— Ладно, тогда поехали домой — мыться, бриться, переодеваться. Серега, не прощаюсь, увидимся в «Венеции». Братва, спасибо за встречу, через три часа жду всех!

Званцев взял у Катерины ключи от «мерседеса», подкинул их на ладони, подошел к машине, любовно погладил стойку и сел за руль. Как только Катя села рядом, «мерседес» взвизгнул покрышками и рванул по набережной. Так же быстро и с теми же повизгиваниями колес моментально разлетелась братва. Из встречавших Званцева перед «Крестами» остались лишь Сергей и два адвоката Олега — Бельсон и Сергеев. Ухоженные и респектабельные адвокаты производили впечатление родных братьев, хотя один был кучерявым брюнетом и евреем, а второй — лысым и русским. Сергеев посмотрел вслед умчавшимся машинам и с легкой обидой в голосе сказал:

— Вот она, человеческая благодарность — им не до нас... А ведь вроде бы поработали мы славно...

Бельсон усмехнулся и взял Сергеева под руку:

— Да брось ты кукситься... Поехали, опрокинем по граммулечке... Не желаете с нами, коллега?

До Челищева не сразу дошло, что вопрос адресован ему.

— А? Нет, спасибо... господа.

И раскланявшись с адвокатами, Сергей медленно пошел к своему «вольво».

До начала банкета в «Венеции» Челищев бесцельно кружил по городу, непрерывно курил и терзался одной-единственной мыслью — что происходит сейчас между Катей и Олегом? Он сам не заметил, как вырулил на Кировский, и лишь потом, поняв, что едет к их дому, выругался и развернул автомобиль.

В «Венеции» собрались все «сливки» бандитского Петербурга — Миша-Стреляный со своей свитой, Ледоговоров, братья Рыбаковы, бывший вор в законе Слава Поленников (с одноименным погонялом — Полено), братья Ивановы, Азамат, Ноиль-Белый, Саша Кучерягин и многие, многие другие. Все чувствовали себя уверенно и комфортно — мужчины в дорогих костюмах и золотых цепях, женщины — в мехах и бриллиантах. Когда приехали Олег с Катериной, Сергей уже толкался среди встречающих, пожимал руки и, так сказать, общался. Не успели Званцев с супругой войти в зал — цыганский хор грянул древний «хит»: «К нам приехал наш любимый Олег Андреич дорогой». Пока Олег выпивал поднесенную рюмку водки, Челищев впился глазами в Катино лицо. Но по нему ничего нельзя было понять: было у них что-то с Олегом — не было... Рассаживались долго, и официанты сбились с ног, отодвигая и придвигая стулья. Челищеву досталось место между Катей и Стреляным. Правее от Кати сидел Олег, а дальше один стул был свободен — он явно предназначался Антибиотику, который появился ровно в половине четвертого — одновременно с боем часов...

Тостов было много — за дружбу, за верность, за тех, кого ждут, и за тех, кто ждал... Сергей опрокидывал в себя рюмку за рюмкой, опьянеть никак не мог и все пытался поймать Катин взгляд, чтобы попытаться прочесть в нем ответ на мучивший его вопрос. Но Катя от него все время отворачивалась, Сергей начал заводиться и получил под столом легкий толчок коленом — мол, уймись, прошу тебя, люди же кругом... Примерно через час после начала обеда слово взял Антибиотик. Когда он встал, держа в руке бокал своей любимой «Хванчкары», стало очень тихо. Виктор Палыч обвел глазами присутствующих и негромко начал:

— Есть одна старинная французская легенда: злая девушка сказала парню, который был в нее влюблен: «Иди, вырви сердце у своей матери и принеси мне. Докажи мне свою любовь!» И он пошел, убил мать и взял ее сердце. Но когда бежал со своим подарком к возлюбленной, споткнулся и упал. А материнское сердце и говорит: «Не больно ли тебе, сыночек, не расшибся ли ты...» Понял парень, что истинная любовь была лишь у той, которую он убил, — у матери, зарыдал, пошел и утопил свою жестокую красавицу... Так выпьем же за истинную любовь и дружбу, за наше братство, за то, чем мы сильны, за бескорыстную помощь и поддержку друг другу всегда и всюду!

Зал зашумел от странного тоста Антибиотика. Сергей почувствовал, как напряглась Катерина, увидел недоумевающий взгляд Олега, обращенный к Виктору Палычу. А Антибиотик, выдержав театральную паузу, наклонился к Олегу, чокнулся с ним, потом с Катериной, неожиданно улыбнулся и крикнул:

— За вас, дорогие мои! Горько!

Все сразу зашумели, захохотали, задвигали стульями. Олег тоже рассмеялся, выдохнул с каким-то подсознательным облегчением, потому что в тосте-легенде Антибиотика почудился ему непонятный намек. И, кстати, не ему одному почудился. Пока Олег под одобрительные выкрики братвы целовался с Катериной, Челищев сидел, опустив глаза в тарелку. Подняв голову, он перехватил насмешливый взгляд Гуся с другого края стола. Впрочем, Гусь тут же отвернулся...

Через несколько минут Антибиотик откланялся, и гомон в зале резко усилился. Челищеву сидеть было уже невмоготу, он опрокидывал в себя новые порции водки, а она все никак не брала...

Он уже собирался встать, попрощаться с Олегом и Катериной и, сославшись на головную боль, уйти, как вдруг в зал ворвались автоматчики в масках и синей милицейской форме. Они быстро взяли под прицел весь зал, три овчарки рвались с поводков и лаяли. Появление милиции казалось таким же невероятным, как прилет марсиан, и Сергей даже зажмурился, чтобы проверить — не начались ли у него пьяные галлюцинации... Но все происходило наяву. В центр зала вышел Степа Марков и громко сказал:

— Спокойно, граждане, проверка документов! У кого есть паспорта — все будет нормально. А вам, гражданин Званцев, придется проехать с нами...

— Да ты че, мент, ополоумел? — взорвался Олег. — Я только из «Крестов» вышел!

— Туда и вернешься. — Пока Марков объяснялся со Званцевым, омоновцы в масках уже начали шмонать собравшихся, с видимым удовольствием укладывая некоторых из них лицом в пол.

Челищев решил, что пора и ему вмешаться в этот странный спектакль:

— Что происходит? Я — адвокат Званцева!

Марков мельком, как на незнакомого, взглянул на Сергея:

— Вам тоже придется проехать с нами, гражданин адвокат.

— Это на каком же основании?

— Да на законном, на каком же еще... — Степа достал из кармана сложенный лист бумаги: — Вот постановление об аресте Званцева Олега Андреевича, а к вам, господин адвокат, у нас несколько вопросов имеется...

— Никуда я не поеду, — мотнул головой Сергей.

Марков пожал плечами и бесцветным голосом ответил:

— Неповиновение властям неразумно и чревато последствиями. Как адвокат, вы должны это знать.

Сергей сжал кулаки и прорычал, как выплюнул:

— Ну что ты пыжишься, Степа, смотри, не лопни!

Марков чуть поджал губы, но тона не изменил:

— Вы оскорбляете государственного служащего при исполнении им служебных обязанностей. Я предупреждаю вас в последний раз...

В разговор вмешалась очнувшаяся от шока Катерина. Она вскочила со стула, схватила одной рукой за рукав Олега, другой — Челищева и с невыразимым презрением бросила:

— Меня, очевидно, вы тоже пожелаете забрать с собой, господин милицейский начальник, или как вас там?..

Степа взглядом ее не удостоил.

— Забирают, мадам, в вытрезвитель. А мы доставляем. Ваша персона нас пока не интересует. И хватит разговоров. Поехали!

Омоновцы ушли, уводя с собой Олега, Сергея и еще человек восемь из молодых «быков», оставив в зале растерянных цыган и тяжело молчавших гостей. Когда двери за милицией закрылись. Стреляный вскочил и запустил им вслед фужером.

— Мусорня вонючая! Лишь бы радость людям обосрать!

Всех задержанных в «Венеции» доставили на третий этаж Литейного, 4, где располагалось воспетое Александром Невзоровым ОРБ.

В коридорах ОРБ царила привычная рабочая атмосфера. На стульях лицами к стене на расстоянии полутора метров друг от друга сидели человек десять крепких парней явно бандитской наружности. У некоторых, видимо, для надежности, и ноги были скованы никелированными кандалами, причем их цепочки были пропущены через ушки двухпудовых гирь. В конце коридора лицами в пол лежал пяток лиц пресловутой «кавказской национальности». Над ними стояли три громилы в масках с прорезями для глаз и в бронежилетах. Громилы прохаживались мимо задержанных, давая им понять, что в этой ситуации жаловаться на судьбу и родную милицию, пожалуй, не стоит.

Сергей, шагая по знакомым коридорам, чуть было не стал раскланиваться с бывшими коллегами, но вовремя вспомнил, что последний раз на этом этаже он был в несколько ином качестве. Попадавшиеся навстречу оперативники выглядели достаточно колоритно: одни, подражая киношным американским детективам, щеголяли в мятых костюмах и нечищенных ботинках, другие, частично одетые в камуфляжную форму, куда-то неслись с короткими автоматами в руках, третьи, в спортивных штанах и оттопыривающихся под мышками кожаных куртках, смахивали на приезжих бандитов средней руки.

Всю привезенную из «Венеции» группу в коридоре поставили лицом к стене, в том числе и Сергея. Олега через несколько минут увели в какой-то кабинет, остальные стояли молча и ждали.

— Ба, какие люди! — услышал Сергей знакомый голос, и в тот же момент его запястья охватили холодные кольца наручников. Повернув голову, Челищев увидел осклабившуюся физиономию Валеры Чернова.

— Какая встреча!

Чернов поддернул скованные наручниками руки Сергея вверх, так что тот стукнулся лбом о стену.

— Ну, что же ты, птичка, не поешь? А? Кому из нас коров пасти, кому в ментовке работать? Что молчишь, мразь?

Челищев катнул желваками и, стараясь остаться спокойным, сказал:

— Что ты творишь, Чернов?! Я — адвокат, удостоверение в кармане. Сними браслеты — неровен час, следы останутся, я завтра в травмпункт пойду, тогда в прокуратуре объяснишься.

— Ой, напугал-то как! Травмпункт, прокуратура... Да ты пьяный, от тебя водярой несет, падал, наверное, все время на гололеде. А объяснимся мы с тобой не один раз, и не в прокуратуре твоей сраной.

Челищев скрипнул зубами и отвернулся к стенке.

— В чем дело? — к ним подошел Степа Марков. — Чернов, ты что тут цирк устраиваешь?

— Да вот, Степа, старого знакомого встретил. Не ожидал. Я чего подошел-то. Равиль Абдурахметович интересовался, нет ли чего любопытного для его коллекции?

(Начальник 17-го отдела ОРБ Равиль Панин собирал забавную коллекцию из безделушек, отобранных у бандитов, — были в ней фальшивый доллар с членом вместо портрета президента, фигурка Деда Мороза опять же с выдвигающимся членом и прочая похабень. Равиль Абдурахметович свою коллекцию любил и постоянно заботился о ее пополнении.)

— Нету ничего. Сними наручники, — резко ответил Марков. Чернов ухмыльнулся, однако наручники снял с Сергея и пошел по коридору, покручивая их на указательном пальце.

Челищев повернулся к Маркову и начал растирать запястья:

— Да, Степа, меняются времена. Рассказал бы кто такое мне четыре месяца назад — в лицо бы плюнул...

— Я бы тоже плюнул в глаза тому, кто сказал бы мне, что мы с тобой по разные стороны баррикад окажемся, — усталым голосом сказал Марков. Челищев усмехнулся:

— Опять ты про свои баррикады... Пусть тебя утешит то, что на одной баррикаде с тобой такие вот... попугаи. — И Сергей кивнул вслед уходящему Чернову. — Он-то что здесь делает?

— Перевели к нам два месяца назад. Усилили, так сказать, — машинально ответил Марков и тут же оборвал себя: — Ладно, хватит лирики, пойдем, напишешь объяснительную и гуляй куда хочешь.

— Объяснительную? — удивился Сергей. — О чем, Степа? Ты не перегрелся ли? О том, что я был в ресторане? Может, это ты мне объяснительную напишешь, на каком основании вы меня сюда приволокли?

Марков промолчал, а потом его вдруг прорвало:

— Серега, очнись, что ты делаешь, с кем ты? Ты ведь толковый мужик...

— Ты лучше посмотри, с кем ты, Степа!

Марков и Челищев яростно смотрели друг на друга и тяжело дышали, но говорили вполголоса, потому что вокруг были люди.

Степан выдохнул в лицо Челищеву:

— Я на державу работаю, и если хотя бы парочку таких уродов, как Званцев, на лесоповал отправлю — значит, не зря землю топчу!

— Да кого тебе дадут отправить, Степа? Ты что, слепой? И, кстати, на каком основании вы задержали моего клиента Званцева?

— На основании предъявленного ему обвинения по новому эпизоду той же сто сорок восьмой! Мы теперь тоже грамотные стали — пару эпизодов всегда в загашнике держим! Вы своих «братков» вытащите за бабки, а мы их опять туда!.. И до босса твоего доберемся, так и передай ему.

— А я тебе не курьер, чтобы передавать. Отмечай мне пропуск, Степа, и не дури. Я уже два с половиной часа как задержанный... Не нарывайся на неприятности! Я все же адвокат...

— Ну-ну, иди, Робин Гуд херов!.. Только я тебе на прощание одну вещь скажу, чтобы ты так не радовался. Помнишь, ты просил меня о Михаиле Касатонове справки навести? О пареньке, которого взяли по делу твоих родителей? Так вот — он состоял в группировке твоего Званцева, конкретно — под Винтом ходил.

— Врешь! — Челищев, забывшись, схватил Маркова за грудки, но тот с силой отбросил его руки. — Я тебе не верю, Степа, ты это специально так говоришь, от злости!

— Верить или не верить — это ваше право, господин Челищев. Я вам все сказал! Пропуск вам сейчас вынесут и до постового проводят.

Марков, не прощаясь, повернулся и пошел к своему кабинету.

Выйдя из Большого дома, Сергей долго ловил машину и, поймав, поехал обратно в «Венецию». Но ресторан был закрыт, все гости уже разошлись. Сев в свой автомобиль, Челищев рванул на Петроградскую, к Катерине. Она, конечно, не спала, ждала... Кого она ждала? Наверное, обоих.

— Ты... — Катя отступила в прихожую, пропуская Сергея в квартиру. — А где Олег? Что с ним? Челищев вздохнул:

— Ему предъявили обвинение по новому эпизоду... В ОРБ страхуются, видно, догадывались, что могут выпустить...

Катя прошла в гостиную и опустилась на диван.

— Господи, как я устала от всего это-го... — И она спрятала лицо в ладонях.

Сергей сел рядом, стал легонько погла-живать Катю по волосам. Постепенно его поглаживания становились все более сильными, он начал нежно целовать ее лицо. Она не сопротивлялась, но оста-валась напряженной. Рука Сергея про-скользнула в вырез Катиного халата, и ее грудь легла в его ладонь. Катерина засто-нала, раскрыла губы навстречу Сергею, и началось безумие... Первый раз Чели-щев вошел в нее прямо на диване, даже не успев толком раздеть Катерину. Она стонала, выгибалась под его руками, и оба они кончили очень быстро, почти од-новременно. Катя закрыла лицо руками и беззвучно заплакала. Плечи ее судо-рожно вздрагивали. Она не сопротивля-лась, когда он ее раздевал. А когда он, сбросив с себя все, понес ее в ванную, она обхватила его шею и начала его ис-ступленно целовать. Вышли они из ван-ной нескоро, и Сергей искренне надеял-ся, что их крики и стоны не перепо-лошили соседей и те не стали вызывать милицию, решив, что за стенкой кого-то убивают. Никогда еще ни с одной жен-щиной Сергею не было так хорошо, да, пожалуй, слово «хорошо» не могло передать и сотой доли переполнявшего его восторга. Сергей отнес ее в спальню, положил на кровать и начал целовать Катин живот, опускаясь все ниже, пока она снова не начала постанывать и двигать бедрами в такт движениям его языка, а потом она почти закричала, дернулась и быстро нашла своим ртом изнемогающую плоть Сергея, и он, кончая, перестал воспринимать действительность, словно распался на миллиарды частиц... Ощущение блаженства было настолько сильным, что где-то рядом замаячил призрак смерти, но Челищеву было не страшно, и когда сознание стало понемногу возвращаться, он застонал обиженно, потому что хотелось ему навсегда остаться там, где он только что побывал, а возвращаться в реальный жестокий мир было больно до слез.

Очнувшись, Сергей увидел, что Катя лежит навзничь на скомканной простыне и то ли смеясь, то ли плача бормочет что-то странное, словно в трансе:

— Бог троицу любит, воистину говорят: Бог троицу любит...

Он привлек ее к себе, поцеловал и тихонько спросил:

— Какую троицу, о чем ты, ненаглядная моя?

Катерина встрепенулась, словно отходя от сна, и, смутившись от того, что Сергей подслушал ее мысли, спрятала лицо у него на груди.

— Да это я так, о своем...

Но Сергей не отставал, продолжая расспрашивать, и тогда она, глубоко вздохнув, ответила:

— Ты, Сереженька, третий мужчина в моей жизни. И никогда до этого мне не было так... Я чуть до обморока не дошла с тобой. Вот потому и подумалось мне, что — правду говорят — Бог троицу любит...

Упоминание о других мужчинах когтем ревности царапнуло по сердцу Челищева, но он постарался скрыть эти чувства, пошел искать в брошенной на полу в гостиной одежде сигареты. Закуривая, он с горечью подумал о том, что в любви Господа к их троице — к нему, Кате и Олегу — имеются серьезные сомнения. Миг счастья короток, и никому еще не удавалось надолго задержаться на его пике...

Они молча курили, и на языке у обоих вертелся один и тот же вопрос. Сергей не выдержал первым:

— Катюшка, любимая, а дальше-то что? Что делать-то будем?

Она вздрогнула от вопроса, которого ждала, зябко повела плечами и нашла рукой его ладонь.

— Не знаю, хороший мой, не знаю... Ты для меня как стихийное бедствие, горюшко ты мое. И так все сложно было, а сейчас — совсем не знаю...

Сергей загорячился, он всегда любил быстрые решения, ждать для него было мучительнее всего.

— Катя, посмотри, чем мы занимаемся... Зачем? Жизнь-то ведь проходит, мы уже не дети, свистит мимо, не останавливается, а ведь, вроде, только вчера в универ поступали... Давай все бросим, уедем, начнем все сначала, мир большой...

Катя улыбнулась грустно, и было в этой улыбке сразу все — и материнская доброта, и сестринская тревога, и сладкая горечь желанной любовницы:

— Торопыга ты мой... О чем ты говоришь... Куда нам уехать? Найдут... А если даже не найдут — ты что, считаешь, что Олега можно вот так бросить? Да и ребята некоторые — не все, конечно, но есть такие, — они, как дети, пропадут совсем без нас, их в пять минут разменяют. А они нам верят — и мне, и тебе теперь, между прочим! И еще есть обстоятельства, которые меня в этой стране держат.

Только ты меня сейчас об этом не спрашивай, ладно?

Сергей прижался к ее груди лицом и прошептал:

— Я люблю тебя, Катенька моя... А ты?

Катерина ответила ему поцелуем, и они снова начали ласкать друг друга, но на этот раз нежно и осторожно, без прежней ненасытной жадности...

Под утро, уже собираясь уходить, Сергей вздрогнул, вспомнив брошенные ему в лицо слова Маркова. Вероятно, он и не забывал о них, они глубоко засели в подсознании, словно заноза.

— Катя, слушай, я спросить тебя хотел... Ты такого Мишу Касатонова не знала случайно?

— Нет, — Катерина подняла на него удивленные глаза. — А кто это?

— Да так, — замялся Сергей, — браток один. Говорят, крутился когда-то в нашей команде...

— Никогда про такого не слыхала, — Катя говорила искренне и убежденно. — Знаешь, сколько разной молодежи крутится, туда-сюда переходят... Я их и не упомню всех. А зачем он тебе?

— Да нет, ерунда, — облегченно выдохнул Сергей. — Не знаю, почему даже вспомнилось...

Он долго целовал Катю перед уходом, пока она не оторвалась от него сама:

— Поздно уже. Вернее, рано... Скоро за мной Доктор приедет. Иди, хороший мой, поспи хоть немного. Завтра увидимся... Вернее, уже сегодня...

Из Катиного подъезда Сергей вышел, покачиваясь, как пьяный, хотя весь хмель из него давным-давно вышел. Его качало от счастливой блаженной усталости, он не чувствовал ног... Наверное, потому и не увидел, что в глубине двора-колодца в неприметной «шестерочке» сидел Гусь, смотрел на него воспаленными прищуренными глазами и улыбался...

В середине следующего дня Сергей решил нанести визит Виктору Палычу — обсудить создавшееся после нового задержания Олега положение. К кабачку «У Степаныча» он подъехал без предварительного звонка, решив скоротать время за обедом, если не застанет Антибиотика сразу. Посетителей в кабачке не было — Степаныч решил устроить санитарный день. За столиком у двери в отдельном кабинете сидел Гусь, который, увидев Челищева, встал и закрыл собой проход. Сергею сразу не понравилась пакостная улыбочка, появившаяся на лице Гуся. Но счастливое блаженство минувшей ночи еще не ушло, поэтому Сергей решил, что называется, не заводиться.

— У себя? — спросил Челищев, кивнув на дверь в кабинет.

— А че надо-то? — Гусь явно напрашивался на ссору, но Сергею она была вовсе ни к чему. Чувствуя, однако, как против его воли гнев начинает гнать в кровь адреналин, он постарался ответить как можно спокойнее:

— Что мне надо, я сам объясню. Скажи — Адвокат пришел, разговор серьезный есть.

Гусь сначала с преувеличенно серьезным видом кивнул, а потом снова ухмыльнулся:

— Я гляжу, Адвокатов у нас развелось немерено. Как бы не перепутать! А то — под одной кликухой ходите, с одной бабой спите.

— Что?! — оторопел Сергей. — Что ты сказал, придурок?!

Гусь ощерился, и глаза у него стали дикими.

— Я-то, может, и придурок, но не мусор, и через кровь родную не перешагивал...

Словно красная лампочка взорвалась в мозгу у Сергея, и он молча бросился на Гуся, забыв одну из основных заповедей любого вида боевых единоборств: своим гневом ты помогаешь противнику. Гусь встретил Челищева прямым ударом в челюсть, и Сергей долго еще потом удивлялся, что удар не отправил его в нокаут, а лишь сбил с ног.

— Ну что, мусорок, понравилось?

На этот раз об осторожности забыл Гусь, он слишком близко подошел к лежавшему на спине Челищеву. Сергей мгновенно провел классический прием — подцепив стопой левой ноги пятку противника, ударил правой ногой в опорное колено. Гусь упал. Вскочили они одновременно, и Сергей сразу почувствовал, как от пропущенного страшного удара у него кружится голова и его подташнивает. Нокдаун добавился к изнурительной бессонной ночи и выпитому накануне.

Гусь же, наоборот, казался просто сгустком энергии. Зашипев, он выбросил вперед руку, и перед самыми глазами Челищева сверкнуло лезвие ножа. Сергей отпрянул в коридор, ведущий на кухню, Гусь шагнул за ним. Его рука с ножом, казалось, жила самостоятельной жизнью, холодно мерцавшее лезвие описывало длинные восьмерки и заставляло Сергея непрерывно пятиться. Гусь держал нож уверенно, не сжимая ручку слишком сильно, чтобы не лишать подвижности кисть, а в его сощуренных глазах скалилась смерть. Сергей почувствовал, как страх начинает сковывать его движения, и со всей силы сжал зубы, пытаясь сконцентрироваться. По тому, как стали исчезать вдруг посторонние звуки, он понял, что это ему удалось. Теперь Челищев слышал лишь шипение Гуся и легкое посвистывание резавшего воздух лезвия. Гусь гнал Сергея по коридору, развернувшись к нему правым боком и чуть откинув назад левую руку. Челищеву была знакома эта стойка — североитальянская ножевая школа: противника нужно догнать до стены, откуда ему уже некуда пятиться дальше, и сквозь кружево обманных финтов ударить под ребра снизу — справа или слева — в зависимости от того, в какой руке будет нож на момент финального удара. К счастью, дверь в кухню была открыта. Сергей не заметил, как оказался между двумя большими кухонными плитами. Дальше отступать было некуда, за спиной у него были стол для разделки мяса и стена. Боковым зрением Челищев заметил на этом столе огромный тесак и рванулся к нему. Гусь уловил это движение и прыгнул, но опоздал... А может, наоборот, слишком поторопился... Фактически, он сам налетел на тесак, который Сергей в падении успел выбросить вперед. Тесак глубоко вошел Гусю в грудь, с противным звуком разрезаемых ребер... Когда все кончилось, Челищев снова обрел способность слышать. Непрерывно кричала толстая повариха. Бледный Степаныч выглядывал из коридора. За его спиной причитали две официантки. Крови из Гуся вытекло много — как из неграмотно забитого кабана. Челищева затошнило, он сглотнул, подавляя дурноту, вытер рукой пот со лба и хрипло бросил Степанычу:

— Живо все двери в кабак закрыть! Всех, кто здесь есть, — к вам в кабинет, по очереди! И Виктору Палычу звони. Да тихо вы! — Последняя фраза предназначалась впавшим в истерику женщинам. Покачиваясь, как после тяжелой работы, Сергей пошел было в кабинет, но на полдороге понял, что не удержится, и бросился в туалет, где его тяжело вырвало. Догадливый Степаныч притащил в трясущихся руках стакан водки, Сергей выпил и почувствовал себя немного легче.

Сосредоточившись, он изменил намерение и рассадил весь обслуживающий персонал кабачка по одному человеку за столик в большом зале и заставил писать объяснительные — кто что видел, кто что слышал. Объяснительных он получил одиннадцать штук. Шестеро вообще ничего не видели и не слышали, двое официантов в зале заметили начало ссоры, но не слышали слов, с которых она начиналась. Только повар, повариха и кухонный мужик в кухне наблюдали во всех подробностях финал драки. Сергей расхаживал между столами, собирал объяснительные и пытался сообразить, что же делать дальше. Несмотря на выпитую водку, его начало колотить.

Антибиотик приехал вскоре, долго смотрел в кухне на остывающее тело Гуся, потом первый раз в присутствии Сергея громко выматерился. Не глядя на Челищева, Виктор Палыч пошел в кабинет. Челищев зашел за ним, не зная, куда деть руки, которые словно сами по себе складывали и сворачивали в трубку листки объяснительных.

— Ну? — бросил Антибиотик, усевшись за стол.

Сергей молча положил перед Антибиотиком листки объяснительных. Виктор Палыч искоса глянул на Челищева, но объяснительные прочитал все до единой. Потом аккуратно собрал бумаги и, сложив, убрал во внутренний карман пальто.

— Ладно, по всему видать, Гусенок сам нарвался, первым за перо схватился! Ты мне лучше, Сережа, ответь по совести — из-за чего заводка-то пошла? Что на этот раз не поделили?

Сергей пожал плечами.

— Я спросил, у себя ли вы... А он начал спрашивать — что да зачем... Я ему — не твое дело, скажи только, что Адвокат пришел. А он мне — что-то адвокатов развелось, как кур нерезаных... ну и понеслось!

— И все? Больше он тебе ничего не говорил? — Сергей чуть ли не физически почувствовал, как сверлят его глаза Антибиотика.

Этот взгляд он выдержал и снова пожал плечами:

— Все вроде...

Виктор Палыч надолго замолчал, развалившись в кресле, и выстукивал пальцами по столу какой-то сложный ритм.

— Все одно на другое как-то валится... Олега закрыли. Гусь... Винт пропал куда-то. Ты в совпадения веришь?

— Нет, — ответил Сергей, внутренне вздрогнув от услышанной клички «Винт». Где-то он ее слышал совсем недавно, при каких-то странных обстоятельствах.

— Это в тебе прошлое твое говорит, молодой ты еще, Сережа, — Виктор Палыч неожиданно подобрел и заулыбался: — Доживешь до моих лет, поймешь, что совпадений и случайностей в жизни может быть даже больше, чем закономерностей...

Антибиотик снова забарабанил пальцами по столу.

— Так. Давай теперь думать, что с Гусенком делать, царствие ему небесное. Хотя, что тут думать, грузить его надо в багажник и на кладбище к Вальтеру везти... Хорошо, что сообразил кабак сразу закрыть. Я тут с людьми поговорю, чтобы хавальники на замке держали... А ты, Сережа, шустрый парень. Гуся завалил — это, я тебе скажу, не каждый смог бы... Ты с характером-то своим полегче, у нас в коллективе люди сложные... Я тебя не пугаю, ты мне симпатичен, верю — будущее у тебя большое... Если голову раньше времени не сломаешь...

Виктор Палыч порассуждал еще немного на общие темы — мол, друг дружку беречь надо, а не «мочить», и сделал короткий звонок некоему Коле:

— Коля? Здравствуй, дорогой, как поживаешь?.. Спасибо, твоими молитвами... Непременно... У меня к тебе дело небольшое. Сейчас к тебе паренек подъедет, ты его мог видеть намедни в «Венеции» — Сережа, адвокат, чернявенький такой... Да, да... Он тебе посылочку привезет, постарайся ее отправить побыстрее, а то там продукты скоропортящиеся... Лады. Да он прямо сейчас и поедет, запакуем только! Да, да, дай, как говорится, Бог...

Антибиотик устало положил трубку и повернулся к Сергею:

— Давай, Сережа, не мешкая — грузите со Степанычем Гуся к тебе в багажник и езжай на Смоленское кладбище. Найдешь там Николая Трофимовича — его там все знают, здоровый такой, с бородкой, он всеми похоронами заведует. Проводишь, стало быть, Гусенка в последний путь... Сам понимаешь, напачкал — подотри! А я тут с людьми побалакаю, — и Виктор Палыч похлопал себя по карману, где покоились объяснительные работников кабачка.

Руководитель профсоюза кладбищенских тружеников Николай Трофимович Богомолов в узком кругу был известен под кличкой Вальтер. Это погоняло он заработал на втором сроке, который получил за то, что таскал с собой повсюду пистолет системы «Вальтер», да не просто таскал, а еще и демонстрировал его при случае. С первого взгляда на этого крепкого сорокапятилетнего мужика с бородкой, как у архиерея, трудно было заподозрить в нем четырежды судимого зэка. Вальтер был набожен и в одежде скромен, глаза в разговорах обычно опускал в землю, но тем, кому удавалось глянуть в его зрачки, становилось не по себе. Очень уж глаза Вальтера напоминали дула пистолета излюбленной им системы. Вальтер был полным хозяином на Смоленском кладбище, и каждый могильщик платил ему долю. На работу Николай Трофимович ездил на старом, разбитом «жигуленке», и мало кто знал, что в Ленинградской области, в теплом гараже его трехэтажного дома с мраморным бассейном, ждет хозяина новехонький «мерседес» с общим пробегом всего в двести км... Разговоры своих подчиненных о деньгах Вальтер не любил, всякий раз обрывал, называя их «блудом и грехом». О грехе и блуде Николай Трофимович вообще любил порассуждать, особенно в милиции, если дергали его туда по старой памяти. Впрочем, в последние годы в милиции он никогда не проводил больше часа, потому что у него, как и у «всякого порядочного человека», как он любил говорить, была справка из ПНД* о неполной психической вменяемости. Антибиотик знал Вальтера давно и ценил как специалиста. Специализировался же Вальтер в основном на «двойных захоронениях»: когда нужно было спрятать какой-нибудь труп, никто не мог сделать это надежнее Николая Трофимовича, который определял покойника в свежевырытую могилу — сверху через несколько часов опускали гроб с бабушкой, могилу зарывали, а компаньон старушки по могиле пополнял милицейские реестры пропавших без вести...

Вот к такому «интересному» человеку и гнал Сергей свой «вольво» через вечерний Питер, холодея при виде каждого встречного гаишника. Муторно и беспокойно было у Челищева на душе.

«Вот и стал ты, Серега, душегубом... Оно, конечно, чистая самооборона, тут не подкопаешься, но ведь я хотел его убить... и убил. Интересно, что Гусь там плел про родную кровь, через которую он не перешагивал... Да, как говорит Виктор Палыч, у мертвого уже не спросишь...»

Уже подъезжая к кладбищу, Сергей вспомнил, как посетовал Антибиотик на

---

* ПНД — психоневрологический диспансер.

то, что пропал куда-то некий Винт, и вновь стал ломать голову, где же он уже слышал эту кличку... Вспомнить он ничего так и не успел, нужно было заниматься более насущными делами.

Вальтер на приветствие Сергея ответил кивком, руки не протянул и никаких вопросов не задавал. Он молча вытащил из багажника завернутый в скатерть труп Гуся, легко вскинул его на плечо и, не оглядываясь, зашагал куда-то в глубь кладбища. Шли долго, по крайней мере так показалось тащившемуся за Вальтером Челищеву. На противоположной Малому проспекту стороне Смоленки Николай Трофимович наконец остановился. Свежевырытая могила терялась в сгущавшемся мраке. Вальтер тяжело, по-мясницки хекнул и швырнул свой груз, словно мешок с картошкой, в черную яму. Сергея зазнобило еще сильнее.

— Чего стоишь? — обернулся к нему Вальтер. — Бери лопату, присыпать надо! Хорошо еще не подморозило, ломом долбить не надо, землица мягкая, как пухом покроет.

Сергей нашарил ручку воткнутой в кучу земли лопаты и, не чувствуя рук и ног, начал кидать в могилу тяжелые мокрые комья, пока они полностью не закрыли белую скатерть, ставшую для Гуся саваном.

— Хорош! — наконец остановил его Вальтер. — Сильно не зарывай! Завтра мы к этому хлопцу соседа подселим, подполковника отставного хоронить будут. С салютом и оркестром. Твой-то, поди, навряд ли думал, что над ним салюты давать будут, а?

И Николай Трофимович засмеялся негромким каркающим смехом, от которого Челищеву стало совсем жутко и захотелось поскорее выбежать к свету и людям. Белки глаз Вальтера блестели в темноте, и Сергею вспомнились вдруг детские страшилки про кладбищенских упырей...

Челищев не помнил, как добрался до дома, его продолжало трясти, а руль автомобиля скользил в мокрых от пота ладонях. Тишина пустой квартиры давила, Сергей зажег везде, где можно, свет, включил радио и телевизор, и все равно ему слышались какие-то потусторонние голоса, а в углах квартиры мерещились тени... Сергей несколько раз пытался дозвониться до Катерины, но трубка ее радиотелефона была отключена, а дома к телефону никто не подходил — было всего-навсего около семи вечера, так рано Катя домой никогда не возвращалась.

Звонок в дверь заставил его вздрогнуть. Он бросился открывать, надеясь увидеть на пороге Катю, или Доктора, или хоть кого-нибудь из знакомых, с кем можно было бы поговорить, а еще лучше — поговорить и выпить. Но на лестничной площадке стоял совершенно незнакомый Челищеву огромный кавказец. Он молча, не мигая, смотрел на Сергея, чуть заметно покачивая головой.

— Ты Челищев?

Сергей кивнул, чуть отступив в глубь квартиры.

— Меня прислал Гурген. Он хочет говорить с тобой...

Сергей настолько опешил, что даже не испугался. В отупевшей от событий последних двух суток голове мелькнула лишь одна мысль: «Если бы хотел завалить, то уже выстрелил бы...» Кавказец, казалось, прочитал его мысли и чуть заметно улыбнулся, продолжая слегка покачивать головой.

— О чем? О чем он хочет говорить? — язык Челищева с трудом ворочался, царапая пересохшее нёбо.

— Гурген сказал, что этот разговор нужен не ему, а тебе. Это он просил передать, потом посмотришь. Решишь говорить — буду ждать тебя на Московском шоссе у поворота на Пушкин сегодня в одиннадцать. — С этими словами кавказец медленно опустил руку в карман своей длинной кожаной куртки, вынул оттуда небольшой бумажный пакет, отдал его Сергею, развернулся и неторопливо начал спускаться по лестнице. Челищев тупо смотрел ему вслед, пока внизу не хлопнула дверь парадной...

Сергей медленно, словно предчувствуя увидеть внутри что-то страшное, развернул пакет. На ладони у него лежали наручные часы его отца... Эти часы невозможно было спутать с какими-то другими. Золотые «Сейко» с алмазами, их подарила Челищеву-старшему одна японская фирма после заключения какого-то очень выгодного контракта. На тыльной стороне корпуса по-английски было мелко написано: «Дорогому Александру Челищеву в знак глубокого уважения». Надпись была не выгравирована, а нанесена каким-то другим способом тем же шрифтом, что и информация о том, что часы противоударные, водонепроницаемые и сделаны в Японии. Александр Владимирович очень дорожил этим подарком. Говорил, что часы стоят каких-то безумных денег и их, даже если они поломаются, можно заложить чуть ли не в любой банк, в цивилизованных, конечно, странах. Если бы в свое время Сергей не выпил столько водки перед осмотром тел своих родителей в морге, то он обязательно обратил бы внимание на отсутствие этих часов в описи их вещей и одежды.

Ехать или не ехать на встречу — в этом вопросе Сергей не колебался. «Ехать! Будь что будет. В конце концов, хотели бы убить — убили бы сразу. Хотя... Может, на информацию потрошить станут... Все равно, ехать надо... Откуда у Гургена часы отца? А может, этот орангутанг вовсе не от Гургена приходил? Габрилович... Может, это как-то связано с ним?»

Измученный мозг Сергея никак не мог сложить мозаику из рассыпающихся фрагментов. Он чувствовал, что сходит с ума от тоски и душевной боли. «Будь что будет... На все Божья воля...» Ему было уже почти все равно, чем закончится встреча. Никого не предупредив о своей поездке, Челищев ровно в одиннадцать был у поворота на Пушкин, где в темноте белела небольшая статуя Александра Сергеевича. Огромный кавказец возник из темноты бесшумно, словно бесплотный дух.

— Ляг на заднее сиденье. На дорогу не смотри. Я машину поведу!

Челищев молча повиновался, понимая, что протестовать и ставить свои условия — бессмысленно.

Ехали долго. Машина петляла, кружила, гориллообразный кавказец угрюмо молчал, да Сергей и не пытался его ни о чем спрашивать. Наконец автомобиль затормозил, и посланец Гургена выключил двигатель. Они стояли перед небольшим двухэтажным особняком. Других домов поблизости не было. В окнах первого этажа горел свет. Провожатый подтолкнул Сергея в спину, и они зашли в особняк.

В большой гостиной, пол которой был устлан звериными шкурами, в кресле у камина сидел невысокий, плотный человек, немолодой, но и не старый. Остатки волос вокруг его лысины были слегка тронуты сединой. Темные глаза неподвижно смотрели на Челищева.

— Садыс, — человек показал рукой на свободное кресло. — Я — Гурген. Я знал, что ты захочешь гаварыт, — у Гургена был какой-то особый, плавающий акцент, не похожий на говор других кавказцев, которых Сергею приходилось слышать. Сергей молча опустился в кресло.

— Я знаю, что ты сейчас думаешь. Нэт, я нэ буду с тэбя спрашивать за Габриловича... Старый жид сам сыбя абманул, хотел самим хытрым быт... Я хачу рассказать тыбе, как умерли твои радытели...

Челищев дернулся вперед, но Гурген властно вскинул руку, останавливая его движение, помолчал, глядя в огонь, и начал свой рассказ.

— Твой атец мыня нэ знал. Габриловича знал. Работал с ным. Так должно было быть. Вытка Антыбиотык хатэл па-другому. Он наслал лудей к тваему атцу гаварыть. Эта былы луди Адваката. Перваго Адваката, Званцива. Разговор нэ получылся. Тогда Вытка прыказал убыть тваего атца. И его убылы, вмэстэ с жыной, да...

Сергей отказывался верить своим ушам. По словам Гургена выходило, что за деревообрабатывающий комбинат, которым руководил Александр Владимирович, завязалась драчка между организациями Москвы и Питера. Поняв, что проигрывает, Антибиотик решил убрать Челищева-старшего, чтобы сменивший его начальник стал посговорчивее. Но самым чудовищным было то, что обо всем этом знал Олег... а значит, и Катя, хотя ее имени Гурген не назвал ни разу. Получалось, что они не только знали, но и руководили всей операцией!

— Я сразу знал, что была так. Я многа жил, мыня удывить трудна. Но я был

372

удывлен, когда узнал, что ты работаешь на Вытку...

Гурген рассказал, что после того, как раскрылась история с кредитом у Габриловича и выяснилась роль во всем этом Челищева-младшего, он, Гурген, решил поподробнее навести справки. Практически люди Гургена провели настоящее расследование, результаты которого сейчас слушал оцепеневший Челищев.

— Почему я должен вам верить? — глухо спросил Сергей.

Глаза Гургена яростно вспыхнули, но тут же снова погасли, успокоились.

— Мала кто рыскует говорыть мыне такие слава. Ты смелый. Или глупый. Давольна слов. Пойдем. Мы пакажем тыбе таво, у кого взяли часы тваего атца...

Гурген неторопливо встал и, не оглядываясь, вышел из гостиной.

Сергей пошел за ним. Гурген привел его в огромный каменный гараж, рассчитанный минимум на два автомобиля. Но машин в гараже не было. К кольцу, вделанному в кирпичную кладку, был наручником прикован человек, лица которого Сергей раньше не видел.

— Эта Вынт, адин из брыгадыров Адваката. Часы былы у него. Можешь сам говарыть с ным — как хочешь. Нам он уже нэ нужен. Мы знаем, что хотэли. Его мы взяли нэ для сэбя — для тыбя.

Винт! В мозгу Сергея словно что-то щелкнуло, и вспыхнул свет. О пропаже Винта говорил Антибиотик... А днем раньше эту кличку называл Сергею Степа Марков, говоря о Михаиле Касатонове: «Конкретно — под Винтом ходил...» Челищев застонал от ярости и бросился к прикованному к стене бандиту. Ударив Винта ногой по голове, Сергей прорычал, сунув ему под нос часы:

— Откуда котлы*, гнида?! Откуда?! Забью падлу!!!

И снова ударил Винта ногой, на этот раз в живот.

— Какие котлы, ничего не знаю...

Винт говорил слабым, прерывающимся голосом, едва не срывающимся на плач.

Но у Челищева уже не было сил на жалость.

— Что мусоришь, сволочь, котлы откуда?! Люди у тебя взяли!

Сергей снова начал бить прикованного, не чувствуя боли в кулаках.

---

* Котлы — часы (*жарг.*).

— Где взял, сучий потрох?! Забью пидораса!!!

Винт облизнул разбитые в кровь губы и, запинаясь, простонал:

— Часы фраера одного, должен мне был, вернул барахлом...

— Какой, блядь, фраер, ты че мне уши полощешь?

Лицо Винта от ударов постепенно превращалось в какую-то страшную маску. Гурген наблюдал за происходящим молча, никак не комментируя. По его лицу казалось, что он думает о чем-то своем и даже не замечает того, что происходит в двух метрах от него.

Винт потерял сознание, и Сергей надавил двумя пальцами ему на глазные яблоки, приводя прикованного в чувство. Винт застонал и, с ужасом глядя на Сергея, забормотал:

— Щенок нечисто сработал. Приказ был наказать, а он мне должен был. Решил чистым уйти, должок вернул...

— Какой щенок? Имя!? Где живет? Быстро! Быстро, сволочь! В стенку вобью!!!

В какой-то момент Челищев словно увидел себя со стороны, склонившегося с окровавленными руками над Винтом, и удивился лишь тому, что душившая его ярость не забрала полностью способность мыслить.

Через полчаса Сергей выбил из бывшего бригадира примерно такую информацию: у Винта в команде был полностью «отмороженный» пацан с кликухой Костя-Молоток, живший в общей хате с совсем молодыми «бычками». Однажды к Винту заехал Танцор и сказал, что Адвокату срочно потребовался какой-нибудь совсем «пробитый», чтобы с одним барыгой «проблему решить». Винт порекомендовал Танцору Костю-Молотка, и Танцор через пару дней забрал Костю на «инструктаж» к Адвокату. Костя-Молоток пропал на несколько дней, а потом к Винту приехал злой Танцор, сказал, что Молоток грязно сработал и за это Винт его должен немедленно убрать. Немедленно убрать Костю, однако, не получилось, потому что Молоток, видно, что-то почувствовал и прятался каждую ночь в новом притоне на Лиговке. Однако Винт все-таки вычислил Костю и «приконтрил» его с помощью своей «правой руки», некоего Желтка, бывшего сержанта-пограничника. Наводку кто-то из молодых дал, когда Молоток сдуру вернулся в хату, где все они жили...

Костя умирать не хотел, пытался выторговать себе жизнь и назвал Желтку с Винтом место своего тайничка, где лежали золотые часы «Сейко», тысяча двести долларов, три золотых кольца и семьсот немецких марок. Сразу же после того, как тайник Молотка был найден, Винт с Желтком Костю удавили, а труп утопили в озере Долгом. Кому принадлежали раньше золотые часы, Винт не знал, но, скорее всего, Молоток снял их с того барыги, с кем «проблему решали», потому что в то время Молоток на голяке* был, без ширева долго не мог, а бабки, как известно, за работу сразу не дают. Почему Молоток не загнал часы, а оставил у себя, Винт также не знал — может, что попроще где-то сложилось... Мишу Касатонова Винт с трудом, но вспомнил — как раз Миша и вломил Молотка, а потом сдуру на Костиных же делах в мусорню залетел, ему еще с человеком в камеру передавали, чтобы он на себя все взял, а потом его менты где-то шлепнули, когда этот дурак соскочить на шару** решил...

Винт уже совсем был не похож на человека — весь в крови, с переломанными костями и расплющенным в блин

---

* На голяке — без денег (жарг.).
** На шару — на авось (жарг.).

лицом. Сергей, впрочем, выглядел немногим лучше, он, казалось, состарился лет на десять, глаза — безумные, руки — в крови...

Челищев устало, по-старчески сел прямо на пол рядом с Винтом, достал две сигареты, закурил сам, а вторую сунул между похожих на оладьи губ Винта.

— Почему я должен тебе верить?

— Я отвечаю за свое, за других не буду, — просипел Винт, делая слабые попытки затянуться сигаретой. Видимо, любое, даже самое слабое движение вызывало у него страшную боль.

— Где Желток сейчас?

— Грохнули Желтка месяца два назад на разборке с воркутинскими... Сам нарвался, первым за ствол схватился... — Голос Винта постепенно сходил на нет, угасая.

Сергей докурил до самого фильтра, загасил окурок о пол и встал. Гурген молча смотрел на него некоторое время, а потом повернулся и вышел из гаража на воздух. Сергей вышел за ним. Было тихо, звезды равнодушно мигали в холодном черном небе. Гурген кивнул стоявшему неподалеку громадному кавказцу, привезшему Челищева:

— Резо, памагы малчику...

И показал взглядом на дверь в гараж. Резо кивнул и зашел внутрь, прикрыв за собой дверь.

Через несколько секунд в гараже гулко ударил выстрел, и Челищев понял, что Винт отмучился. Сергею захотелось упасть на землю, завыть, заплакать, но взгляд Гургена словно замораживал бурю чувств в его груди.

— Зачем... Зачем вы мне все это рассказали? Я вам чужой, а на доброго дядю вы не похожи... Или — теперь и меня так же, как Винта?

Гурген долго молчал, а потом сказал вдруг тихо и почти без акцента:

— Мы с тобой разной масти, ты меня все равно не поймешь. И не думай об этом! Сам дальше решай, как тебе жить. С Выткой у меня свои счеты, у тебя теперь — свои. Вот и думай! Либо сам шакалом станешь, либо — кровь только кровью смыть можно... А больше нам говорить не о чем. Пока. А там — видно будет, кто ты — такой же сучонок, как и все, или человек. Иди к машине. Резо сейчас отвезет тебя...

Челищев пил страшно, по-черному, как только русский человек умеет с горя. Водка не приносила желанного забытья, вокруг Сергея вились призраки мертвых и образы живых... Челищев перебирался из кабака в кабак, ночевал в гостиничных номерах с какими-то блядями, а утром весь кошмар начинался сначала.

Катя и Олег... Как они могли так предать, так растоптать всю их детскую дружбу и любовь — самое чистое и светлое в жизни каждого из троих!.. От боли и ненависти Сергей скрипел зубами над очередным стаканом в очередном кабаке, и все обходили его стороной. Даже самые «отмороженные» «братки», завалившиеся в ресторан, посмотрев на неподвижную фигуру Челищева, уходили потихому, чтобы не нарваться, потому что слишком уж явственно веяло от него страшным холодом смерти.

Когда Толик-Доктор на пятый день отыскал Челищева в ресторане гостиницы «Москва», то даже не сразу узнал своего шефа. Сергей постарел и осунулся, а вокруг губ его глубоко залегли две жестокие складки.

— Слышь, Адвокат, — Доктор осторожно подсел за столик к Челищеву. — Тебя все ищут, с ног сбились. Катерина Дмитриевна весь Питер на уши поставила, Палыч психует... Ты завязал бы, а?.. Палыч сказал, если через три дня не очухаешься, то... — Доктор тактично замолчал, давая понять, что в этом случае последствия будут для Сергея неприятными.

— Я буду через три дня, — бесцветным голосом ответил Сергей, и Доктор, облегченно вздохнув, повеселел.

— Лады, я так и передам!

Доктор вскочил, затоптался перед столиком и, решившись, сказал:

— Ты не переживай так, Саныч... Гусь сам давно напрашивался... Братва тебя уважает, ты все по понятиям сделал...

Сергей механически кивнул и налил себе водки. В груди жгло и жгло, ему очень хотелось заплакать, но слезы никак не шли...

Он очнулся ночью на кладбище, обнаружив себя лежащим ничком на могиле родителей, с мокрым от долгожданных слез лицом. Голова была на удивление ясной и холодной. Сергей встал на колени и перекрестился, потом поднялся и пошел. Движения его были собранными и скоординированными, казалось, его вело принятое им решение...

У самого края кладбища Сергей натолкнулся на какую-то глубокую и широкую яму, вырытую неизвестно кем и непонятно зачем. Дна ямы Челищев разглядеть не мог, но ему показалось, что оттуда торчат ржавые прутья арматуры, как в том котловане, куда не дал ему свалиться Олег десять лет назад...

Тогда было не страшно прыгать через котлован, потому что спину страховал друг. Теперь Сергей был один. Он стоял на краю и, казалось, чего-то ждал. Ветер завыл над заброшенными могилами и словно донес до Челищева голос, подсказывающий, что нужно сделать.

Челищев засмеялся страшным смехом, рваное эхо которого мрачно разлетелось над кладбищем. Сергей зарычал, толкнулся изо всех сил и прыгнул через черный зев котлована...

Содержание

От автора   3

Пролог   5

Часть I. СЛЕДОВАТЕЛЬ   8

Часть II. АДВОКАТ   87

Часть III. БАНДИТ   211

Издательство «Олма-Пресс» и

«Издательский Дом „Нева"» представляют книги А. Константинова о судьбе Андрея Обнорского-Серегина:

«Адвокат»
«Судья»
«Журналист»
«Вор»
«Сочинитель»
«Выдумщик»
«Арестант»
«Специалист»
«Ультиматум губернатору Петербурга»
«Агентство „Золотая пуля"».

Андрей Константинов

АДВОКАТ

Ответственные за выпуск
Л. Б. Лаврова, Я. Ю. Матвеева

Корректор
Е. В. Ампелогова

Верстка
А. Н. Соколова

Лицензия ЛР № 064020 от 14.04.95.
Лицензия ЛР № 070099 от 03.09.96.

Подписано в печать 15.06.00.
Формат 84 × 108 1/32. Печать офсетная. Бумага газетная.
Гарнитура «Балтика». Уч.-изд. л. 10,46. Усл. печ. л. 20,16.
Изд. № 00-1055 БП. Тираж 15 000 экз. Заказ № 1759.

«Издательский Дом „Нева"».
198013, Санкт-Петербург, ул. Можайская, д. 18, оф. 3.

Издательство «ОЛМА-ПРЕСС».
129075, Москва, Звездный бульвар, д. 23.

Отпечатано с готовых диапозитивов
в полиграфической фирме «КРАСНЫЙ ПРОЛЕТАРИЙ»
103473, Москва, ул. Краснопролетарская, д. 16

PRINTED IN RUSSIA
DISTRIBUTED BY N & N INTERNATIONAL